CW00429857

Carmen Laforet
La llamada

Carmen Laforet nació en Barcelona en 1921 y murió en Madrid en 2004. Su familia se trasladó a Las Palmas cuando ella tenía dos años. Allí permaneció hasta que al cumplir los dieciocho regresó a Barcelona, donde estudió Filosofía y Letras. En 1944 obtuvo con *Nada* el Premio Nadal en su primera convocatoria, y se convirtió en la gran promesa de la narrativa española de posguerra. Posteriormente se instaló en Madrid. En 1952 apareció su segunda novela, *La isla y los demonios*. De esta época son sus cuentos *La llamada* y la novela *La mujer nueva*. De entre su producción posterior destaca especialmente *La insolación*.

Carmen Laforet

La llamada

Ediciones Destino
Colección
Destinolibro
Volumen 11

Diseño e ilustración de cubierta: Opalworks

No se permite la reproducción total o parcial de este libro,
ni su incorporación a un sistema informático, ni su transmisión
en cualquier forma o por cualquier medio, sea éste electrónico,
mecánico, por fotocopia, por grabación u otros métodos, sin el
permiso previo y por escrito de los titulares del copyright.

© Herederos de Carmen Laforet
© Ediciones Destino, S. A.
Diagonal, 662-664. 08034 Barcelona
www.edestino.es
Primera edición en este formato: mayo 2004
Segunda edición en este formato: febrero 2005
ISBN: 84-233-3618-2
Depósito legal: B. 10.584-2005
Impreso por Liberduplex, S. A.
Constitució, 19. 08019 Barcelona
Impreso en España - Printed in Spain

LA LLAMADA

CAPÍTULO PRIMERO

Este relato comienza con el amanecer sobre un pequeño puerto del sur, algún tiempo después de terminada nuestra guerra civil.

El mar resultaba liso, con un encendido color de cobre, según el sol comenzaba a caldearlo en el horizonte, y allí, en una línea roja, se confundió por unos minutos con el cielo, hasta que la luz lo invadió todo de manera que el agua resultaba de un azul plata, debajo de un firmamento apenas velado por el calor, y en su superficie podían distinguirse algunos barcos pesqueros, inmóviles, y la silueta de un vapor, cada vez más definida, porque se acercaba al puerto, conducido por el práctico.

El buque que hacía su entrada era de carga y se dirigía a un puerto de América. Llevaba también en su interior unos pocos pasajeros, sin gran prisa por llegar al otro lado del mundo, o que preferían la compensación de un pasaje relativamente módico y aquella despedida que se hacía de la patria, con escalas en puertos impensados, como aquel hacia el que se dirigían.

Desde la cubierta los pasajeros veían claramente la pequeña ciudad, tan bañada de luz, con tal brillo de sol en los cristales de las casas, que parecía bella. Todos deseaban desembarcar; hasta un caballero setentón, muy pulcro, con una barba blanca a la antigua usanza, cuya presencia en el buque parecía extraña.

Aquel hombre evocaba en seguida una vida pausada, en una casa protegida del frío por cortinas gruesas, con una vieja sirvienta que llevase zapatos de paño en los pies, y no hiciera ruido al andar para no interrumpir sus meditaciones. También le hacía pensar a uno en grandes comidas de Navidad en las que él presidiera la mesa, como patriarca de muchos hijos y nietos, y en agradables paseos en un coche de caballos, y hasta en obras de caridad razonablemente distribuidas y acompañadas de buenos consejos. Aquel caballero, con sus hermosas y serenas facciones, hacía pensar en un buen burgués del siglo pasado. Algo completamente en desacuerdo con sus ocho o diez compañeros de viaje, gentes todas marcadas con un sello especial de desarraigo y aventura.

Si este caballero envuelto en un impecable abrigo gris oscuro que le hacía conservar los restos de una antigua prestancia, entre los trajes veraniegos de los otros pasajeros, no hubiera estado aquel día apoyado en la barandilla del buque de carga, y no hubiese sentido el deseo de desembarcar y conocer la ciudad, esta pequeña historia no se hubiera escrito... Podría haberse escrito otra; pero ésta casi estoy segura de que no.

El caballero se llamaba don Juan Roses, y en sus tiempos había sido un médico con buena clientela, pero hacía años que don Juan había dejado de ejercer su ciencia. Ni estos detalles ni el porqué de su viaje a América los conocía nadie en aquel buque. Quizás únicamente el capitán. Pero es posible que al capitán, con sus muchas preocupaciones, se le hubieran olvidado.

Don Juan bajó a tierra después del desayuno. Examinó con tristeza la suciedad y el abandono de las calles, aguantó impasible una nube de chiquillos astrosos que le cercaron pidiéndole perras, y logró encontrar un pequeño jardín, unas calles limpias, y un café, en cuya terraza había mesitas donde podía uno sentarse de cara al mar. Don Juan se sentó en un sillón de mimbre, junto a una de aquellas mesitas, y encendió un cigarro. Luego, empezó a chuparlo lentamente. Tenía unas manos grandes, perfectas. En su juventud habían sido unas manos llenas de belleza masculina, largas, sensibles. Entorpecidas por la edad, aún conservaban su encanto.

Se oían las campanas de una iglesia. Aunque no era día festivo don Juan dudó entre seguir en su tranquila holganza o acudir a aquella llamada. Aquel día, casualmente, era un día especial para el caballero. Era el día de su cumpleaños. Una ligera sonrisa le flotó en los labios al darse cuenta de que no recordaba exactamente los que cumplía. ¿Setenta y siete o setenta y ocho?... La duda le tuvo en suspenso unos segundos, antes de dar otra chupadita a su puro. Se remontó a la fecha de su nacimiento e hizo un breve cálculo. Sólo setenta y siete. Aquella llamada de las campanas comenzaba de nuevo y volvía a atraerle. Se enderezó lentamente, dispuesto a levantarse. En aquel mismo momento el mozo del café, que hasta entonces había sido invisible, apareció, quitándole la visión del mar.

— ¿Qué va a ser?

Don Juan pensó decirle que por el momento nada, que volvería un rato más tarde, y que hiciera el favor de indicarle el camino más corto hacia aquella iglesia cuyas campanas sonaban tan cerca; pero don Juan, al levantar sus ojos color avellana hacia el camarero, sintió que las palabras se le acababan y quedó unos segundos en silencio.

— Un café, por favor.

Al caballero, en aquel camarero joven le parecía haber visto un fantasma. Quedó preocupado. La cara ancha del camarero, con su nariz respingona y fea, personalísima, y aquel espeso cabello negro, y los ojos pequeñitos, verdes como aceitunas... Todo su rostro, en fin, le resultó a don Juan increíblemente familiar.

"Lo miraré más despacio. Cuando venga me fijaré bien", pensó.

Cuando volvió el mozo, el parecido que don Juan encontraba en su cara se acentuó en vez de desaparecer. Aquel muchacho se parecía mucho a otro que había sido, muchísimos años antes, compañero de estudios de don Juan y luego su amigo íntimo durante toda una vida, sin que envidias ni celos profesionales, ni tampoco — todo hay que decirlo — el violento carácter del amigo, enturbiaran aquellas relaciones. Aquel muchacho, suponiendo que sus gruesos labios de comisuras bajas estuviesen rodeados de una barba espesa y negra... Sí, hubiera sido su mismo amigo, Carlos Martí redivivo.

— Joven, yo quisiera hacerle una pregunta un poco personal.

(Aquel ligero levantamiento de las cejas, aquel gesto especial de los labios, tan despreciativo, que unas veces se ganaba la confianza y el respeto excesivo de los clientes de Carlos, y otras los espantaba...)

— Dígame, señor.

Don Juan carraspeó, y sus ojos tropezaron con las manos del camarero, que eran bastas, curtidas, con

las uñas enterradas en la carne. Don Juan comenzó a
vacilar... No había manos más distintas que las de este
hombre y las de su amigo Carlos, muerto hacía veinte años.

—Nada... Le va a parecer a usted una tontería. Se
trata de un parecido casi asombroso que tiene usted con
una persona a quien yo estimé mucho... Seguramente
no habrá oído usted jamás el nombre de Carlos Martí.

El camarero enrojeció de una manera casi impercep-
tible, debajo de su piel tostada.

—Sí, señor, si se trata de un médico de Barcelona,
que murió hace mucho tiempo; he oído hablar de él...
Era tío de mi madre.

—¿Cómo?... Yo conozco a los hijos de María
Rosa...

—Mi madre dice que tiene una hermana de ese
nombre. Ella se llama Mercedes.

El caballero frunció ligeramente el ceño, hasta que
su recuerdo se hizo vivo y claro y le trajo la imagen de
su amigo, saliendo de misa los domingos acompañado
de dos niñas de grandes sombreros, bajo los cuales, en
una cascada, caía la melena rizosa hasta los hombros.
No vivían con Carlos aquellas niñas, pero alegraban
su matrimonio sin hijos compartiendo con él las fiestas.

—Sí, ahora puedo recordar perfectamente a tu madre; era muy rubia... ¿Vive aún?

—Sí, señor.

—Tu tía ha muerto. ¿Lo sabías?... Durante la
guerra.

Inconscientemente don Juan tuteaba a aquel joven.
Le parecía imposible no hacerlo.

—Mire, señor, nosotros con la familia de mi madre
nunca tuvimos contacto.

El caballero recordó, de pronto, una antigua historia. Aquellas cosas no le deprimían sino que parecían rejuvenecerle. Se dio cuenta de que en los últimos años se había ido quedando muy solo, sin poder hablar con nadie de aquella vida suya que ya le quedaba a las espaldas. Tuvo un antojo.

— Yo estoy aquí de paso por unas horas. Esta noche saldrá mi barco... Me gustaría mucho poder saludar a tu madre.

El camarero miró pensativo hacia la bandeja de metal que sostenía entre las manos; tamborileó en ella ligeramente.

— Mire, señor — dijo al fin —, le aconsejo que no vaya...

— ¿Por qué, hijo mío?...

— Mi madre, la pobre, está así, como quien dice, algo guillada. Aquella casa está muy abandonada... No es que a mí me importe; yo allí no vivo, soy un hombre casado... Pero es por usted. Quizá no le guste aquello.

— Mira, hijo; Carlos Martí, al que tú te pareces tanto, era para mí como un hermano, y mi hija jugó con tu madre muchas veces... En estos tiempos el ser pobre no es nada extraño. Lo extraño va siendo lo contrario...

El joven miraba irónicamente con sus ojillos de aceituna al extraño señor de barba blanca.

— Nosotros hemos sido siempre pobres, señor... No es por eso... En fin, si usted se empeña, yo con darle la dirección cumplo.

— Hazme ese favor, hijo... ¿Cuál es el apellido de tu padre?

— López... Por José López, el "Sargento", lo conoce todo el barrio. A mi madre le dicen la "Sargenta".

El ceño del anciano se oscureció.

—Le digo eso, señor, para que no se extrañe. Por lo demás, mi padre dejó el Ejército antes de nacer yo... De modo que ni sé por qué le siguen llamando sargento... Yo creo, señor, que no le va a gustar la visita... Pero allá usted.

Cuando don Juan se levantaba para irse le dio la última indicación.

—En las señas que le he dado encontrará un almacén de maderas. Entre sin miedo y atraviese el patio. Hay una escalera al fondo. Suba. En seguida encontrará la puerta.

—Gracias, hijo.

Don Juan hubiera querido abrazar a aquel muchacho taciturno. No se atrevió.

La casa de Mercedes Martí estaba lejos. No muy lejos, porque en aquella pequeña ciudad todas las distancias eran cortas, pero sí a la mayor distancia posible de aquel café donde trabajaba su hijo.

Según don Juan se iba acercando, se daba cuenta de que era aquél un barrio pobre, pero al anciano le daba gusto andar por allí, porque las casas estaban limpias, encaladas. Algunas puertas dejaban ver patinillos cargados de flores. No había visto en la ciudad nada más alegre. La luz intensa de la mañana hacía que el cielo sobre los callejones luciera como un toldo de azul cegador.

Chiquillos morenos, medio desnudos, jugaban por todas partes. A veces, desde el mar, llegaba una bocanada de aire fresco y salino.

Don Juan trató de recordar mejor a Mercedes Martí, y también su historia.

Mercedes y su hermana Rosa eran hijas del único

hermano de Carlos, que murió muy joven. Carlos pasaba una pensión a su cuñada para ayudar a su pequeña viudedad; y la mujer de Carlos, aquella bondadosa Ana María, quería a las niñas mucho. Incluso las mimaba en exceso. Le gustaba regalarles trajes, sacarlas de paseo, lucirlas... Porque las niñas eran muy bonitas. Sobre todo Mercedes. Ahora recordaba don Juan que Mercedes era la más bonita... Espigada, rubia, con unos grandes ojos verdes. Parecía una princesilla. Ana María estaba encantada con ella. Concluyó llevándola a su casa a temporadas cada vez más largas. Trataba de buscarle un buen marido, pero Mercedes era difícil de contentar. María Rosa, en cambio, se casó en seguida. Bien es verdad que era la mayor. Se casó con un ayudante de Carlos, muy buen muchacho... En cuanto a Mercedes, don Juan casi no recordaba lo que había pasado. Era una muchacha muy fogosa y romántica. Recitaba muy bien, y dio muchos disgustos a sus tíos declarándoles más de una vez que quería ser actriz dramática... Las cosas se pusieron muy feas porque un día, Mercedes, que tenía dieciocho años, se escapó de casa. Tuvieron la suerte de encontrarla, antes de que, en manos de un tipo poco escrupuloso que se decía empresario teatral, cruzase la frontera... Fue un verdadero escándalo, y aquello costó la vida a Ana María. Se había puesto muy enferma con el susto de la desaparición de su sobrina... Pocos meses después murió.

En cuanto a la recuperada Mercedes, nunca más volvió a aparecer por casa de sus tíos. Fue devuelta a su madre, con la prohibición absoluta de volver a pisar aquella casa... Ni siquiera don Juan se atrevió nunca a preguntar por ella. No sabía por qué medios —seguramente por conducto de su hija, que era muy amiga de la otra hermana, de María Rosa — se llegó a enterar de que se había casado y se había ido a vivir lejos.

Poco a poco don Juan se había ido olvidando de Mercedes. Con María Rosa había seguido la amistad de su familia, cuando los tíos murieron. María Rosa misma había muerto atendida por don Juan, a consecuencia de las heridas que recibió en un bombardeo. Sus hijos eran excelentes muchachos...

Don Juan se detuvo delante de una puerta cochera, abierta de par en par, dejando ver un patio abierto, con un emparrado, bajo el que se apilaban tablones de madera de pino. Aquella casa no se parecía a las de la vecindad. Era grande, destartalada y ruinosa. Pero aquel patio en donde picoteaban gallinas y se desperezaba un gatazo rubio tenía un encanto especial y una gran paz. Al entrar en él, don Juan se dio cuenta de que el patio estaba rodeado, a la altura del primer piso, por una especie de corredor en cuyas barandas había ropa tendida y adonde se abrían muchas puertas. Era una casa de vecindad. Don Juan subió las escaleras y llamó a la primera puerta de aquel corredor, como le habían indicado. Una súbita timidez se apoderó de él al darse cuenta de que era la hora de la comida. Pero ya no podía volverse atrás. Sabía que no sería capaz de volver aquella tarde, que aquel impulso que le había movido a visitar a Mercedes no volvería.

Casi con alivio vio que no contestaba nadie. A otras puertas habían asomado algunas caras curiosas.

— ¿A quién busca, abuelo?

Don Juan no estaba acostumbrado a oírse llamar así. Frunció el ceño.

— ¿Es ésta la casa de don José López?

Hubo un silencio y una consulta entre los ojos de

dos o tres mujeres. Don Juan se sentía indefiniblemente molesto. Se le acercó una de ellas.

— ¿No será usted, por casualidad, don Policarpo, el notario de la calle Alta?

— No, hija; no soy de aquí.

— ¡Ah!... Mire, pues si pregunta por don José López, el "Sargento", ahí vive; y si aporrea bien la puerta puede ser que le abran, porque la mujer está un poquillo lela, y a veces no quiere oír... Pero como estar en casa sí que está. Antes la vi entrar yo misma.

Aquella mujer dispuesta, sin esperar a que don Juan siguiera sus consejos, empezó ella misma a golpear la puerta, como si quisiera tirarla, mientras gritaba:

— ¡Mercedes! ¡Visita!...

Poco a poco el corredor se había ido poblando. Mujeres, niños; hasta algunos hombres seguían con curiosidad la marcha de los acontecimientos.

A los dos o tres minutos se entreabrió ligeramente un ventanuco junto a la puerta. Don Juan apenas pudo adivinar el escorzo de una cara de mujer y el brillo de unos ojos.

— Mercedes, que este caballero te está esperando aquí, de pie.

Entonces se oyó una voz llena, armoniosa dentro de su tono grave.

— Voy en seguida.

Don Juan había olvidado completamente aquella voz.

CAPÍTULO II

Hacia las doce de la noche zarpó el barco de carga, con rumbo a otros puertos, antes de emprender la ruta directa hacia América. Don Juan vio alejarse las luces del puerto, agruparse el humilde brillo de la ciudad hasta parecer, en la lejanía, como un puñado de estrellas. Súbitamente aquellas estrellas desaparecieron en la noche y don Juan tuvo frío. Despacio se acercó a su camarote. Lo compartía con un hombre joven cuya cara estaba cruzada por una gran cicatriz. A don Juan, el primer día de conocerlo, aquel hombre le había inspirado recelo. Ahora ya estaba acostumbrado a su presencia, y pensaba que, incluso, al término del largo viaje, llegaría hasta a cobrarle afecto. El hombre de la cicatriz no se había acostado. Don Juan abrió el ventanillo porque hacía demasiado calor en contraste con el aire de la cubierta. No pudo dormir en mucho rato.

No sabía si había hecho bien visitando a Mercedes. Al pronto ella se negaba a acordarse del caballero. Luego se echó a llorar al saber que su tío y su hermana habían muerto.

—Entre todos me destrozaron la vida, don Juan, pero no les guardo rencor.

Mercedes, según calculaba el caballero, no debía

tener aún cincuenta años. Su voz conservaba un encanto especial, y no podía decirse que fuera una mujer extraordinariamente envejecida. Su cara, al menos en aquella penumbra del cuartito en que don Juan la vio, casi no tenía arrugas, o no tenía ninguna... Pero algo terrible había pasado por ella. De aquella especie de princesilla esbelta, nerviosa, no quedaba nada. Era una mujer fondona, descuidada, sin peinar un cabello que ya no era rubio, con las uñas sucias, partidas, y un insoportable olor a cocina que parecía venir de su bata llena de manchas y que ahogaba la atmósfera de la habitación. En un momento determinado, don Juan vio que le faltaba un diente. Ella se dio cuenta de la mirada del caballero.

—Fue una bofetada de mi marido...

— ¿Qué dices, hija?

— Que mi marido me partió el diente, en una discusión, y hubo que sacarlo... ¡Je, je!... Cosas de la vida. A esto me condujeron mis tíos cuando se empeñaron en torcer mi vocación. ¿Qué le parece?

Don Juan no sabía qué contestar.

— ¿Cómo te casaste?

— Por la Iglesia.

Don Juan quedó desconcertado.

— Ya lo supongo, pero...

— Sí; yo era bonita, yo tenía talento, pero desde que mi tío nos retiró la pensión, mi madre y yo nos moríamos de hambre, además yo estaba como quien dice encerrada. Mi marido terminaba entonces el servicio militar. Tenía buen tipo. Nos engañó... Me engañó a mí. A mi madre lo mismo le daba; quería deshacerse de mí y vivir con María Rosa... Ahora me acuerdo que hubo una sola persona que dijera que mi boda era un disparate. Fue la suegra de María Rosa. Pero yo pensé que era cosa interesada, para que su hijo no tuviera que cargar con mi madre, y me entraron más ganas de hacerlo. Mi novio hablaba de que tenía tierras por aquí... Y las tenía, ya lo creo... Pero todo desapareció. Mi madre me decía que el cariño me vendría con los hijos. Tuvimos hijos, pero el cariño no ha venido... ¡Je, je!... ¡Qué cariño ni qué cuerno! No nos podemos ver... Cuando tengo dinero y hay teatro me escapo al teatro... Entonces él me muele las costillas... Porque yo no he perdido mis aficiones... Y aún les daría ciento y raya a muchas recitando... ¿Quiere escucharme?

La pregunta fue hecha con una pasión conmovedora. Don Juan asintió. Entonces Mercedes se puso de pie. Abrió los brazos, y echando la cabeza atrás, cerró los ojos. Don Juan tuvo ganas de llorar. Creía que los años le habían quitado la facultad de conmoverse, pero aquella mujer le dio una inmensa lástima. A pesar del silbido que se escapaba a veces entre sus dientes, la voz tenía un raro encanto. Quizá, en efecto, años atrás tuvo talento.

Llamaron a la puerta. Mercedes no hizo el menor caso.

—¡Abra, madre!

— Debe ser tu hija — indicó tímidamente don Juan, porque la voz era la de una chiquilla.

Mercedes frunció el ceño. Luego se encogió de hombros, y, en efecto, al abrir la puerta entró una chiquilla como de quince años, feúcha, descarada.

—No habrá preparado la comida de padre, ¿verdad?

Se interrumpió con súbita timidez al advertir a don Juan.

—Mi hija... Don Juan Roses, un caballero como

ves. Algo de lo que tú no tienes ni idea... Don Juan, en otros tiempos, era como mi padre.

Don Juan no protestó de la exageración. Mientras la chiquilla desaparecía en la cocina en busca de unos alimentos — que, en efecto, no estaban preparados, y que según don Juan comprendió deberían llevarse al padre, al lugar donde trabajaba —, Mercedes dio explicaciones.

— Es la última de las siete... Sólo quedan ella y el mayor. Los otros murieron uno a uno. Dios hizo ese favor...

Don Juan había visto muchas cosas en su vida y no era hombre capaz de asustarse demasiado, pero aquella tranquilidad de Mercedes hablando de sus hijos muertos le estremeció. Pensó en su propia hija, que tenía la misma edad de Mercedes, que había sido educada con los mismos principios que ella... Hasta le parecía que habían ido al mismo colegio... ¿Podría hablar así su hija, aun después de una vida como la que Mercedes había llevado? Don Juan confiaba en que no. Mercedes no hizo una sola pregunta a don Juan sobre su antigua amiga Carmen, la hija del caballero. Así, don Juan no le dijo que vivía en América desde muchos años atrás. Que él iba ahora a morir a su lado, rodeado del cariño de ella y de los nietos... Mercedes tampoco preguntó por los dos hijos de don Juan, y así, don Juan no le dijo que habían muerto, y también su nieto Juanito, que ya era un muchacho al empezar la guerra... Don Juan no pudo hablar de sus queridos fantasmas, y escuchó en cambio una historia sórdida y muchas quejas de boca de aquella mujer. La consoló como pudo y le dio dinero. Cuando se iba a marchar. Mercedes le preguntó de pronto por los hijos de María Rosa.

—No viven en Barcelona... Sólo una hija, que esta casada... ¡Ah!, la que vive aún es la suegra.

—¿Doña Eloísa, la que se opuso a mi boda?...

—Sí. Vive con Lolita, la hija de María Rosa.

—Deme la dirección, don Juan.

Don Juan se la dio con unos vagos remordimientos. Pero, ¿qué otra cosa podía hacer?

—Doña Eloísa me quería bien...

—Sí, es una pobre mujer... Una buena mujer... Pero no está en situación de ayudarte.

—No le voy a pedir ayuda. En todo caso la ayudaría yo a ella, si la miserable nieta no la cuida bien...

Don Juan se convenció de que, en efecto, la cabeza de Mercedes no regía del todo.

—No, hija, no le hace falta eso tampoco. Viven modestamente, pero no necesitan ayuda...

—Ni yo se la voy a dar... Sólo a doña Eloísa... Esa santa...

Ahora don Juan, en su camarote, empezó a pensar en esta doña Eloísa, en quien nunca se había fijado, aunque la vio mil veces. Era pequeñita y prodigiosamente arrugada, aunque debía ser más joven que él mismo... Se había ido arrugando y encogiendo con los años aquella buena señora, sin que nadie se diera cuenta. Nunca había sido guapa, ni lista, ni más o menos buena que mil mujeres de su tipo dedicadas a su casa, a sus hijos, más bien sosainas y silenciosas. Y la pobre perturbada Mercedes, que se enfurecía o lloraba al recuerdo de su hermana, tenía una sonrisa a la evocación de esta viejecilla y decía que era santa...

¡En fin!... Don Juan cerró los ojos. El ruido del mar lo fue durmiendo. Debajo de sus párpados cerrados aún quedaba el recuerdo de las luces de la ciudad al alejarse. Al fin se perdieron en su sueño.

*

Las luces de la pequeña ciudad seguían brillando, sin embargo, reflejándose en el mar negro y tranquilo, que llevaba al sueño de sus casas un acompasado rumor de olas. Siguieron brillando hasta el amanecer, y entonces nuevamente, al salir el sol, fueron sustituidas por el brillo de su luz reflejándose en todas sus ventanas. Mercedes no durmió en toda la noche.

¡Había recitado tan bien! Hacía años que no recitaba delante de nadie... A veces, sí, a veces, cuando a la atardecida no hay nadie, salía a las afueras, y en una roca, sobre el mar, abría los brazos, como Berta Singerman en una fotografía que ella había visto. La última vez que hizo esto recibió una pedrada... Unos chiquillos, escondidos, la acechaban... Desde entonces no volvió.

Pero aquel día... ¿Qué había dicho don Juan?

— "Sí, hija, aún tendrías éxito en Barcelona... Lo haces mejor que muchas."

Su marido dormía a su lado, con una pesada respiración bien conocida; apenas separada de la cama de ellos, la hija, en un catre. Y en torno no había más que oscuridad, aire pesado, y el tictac de un enorme y viejo despertador que llamaría a las cinco, para que el hombre se levantase.

Mercedes deseó con locura ver un retrato suyo, en que aparecía con un lindo escote, unas flores, unas gasas blancas alrededor. Había sido preciosa. Aún lo era.

— Una buena peluquería, un buen masajista... ¡Je,

je!... Todavía podría dar yo mucha guerra... Don Juan me ha dicho que me conservo asombrosamente joven... El pobre viejo... Casi a punto de hacerme el amor olvidándose de que puedo ser su hija... Sí, casi ha estado a punto.

La idea la regocijaba. No sólo don Juan, sino muchos, muchos... Si ella apareciera bien vestida, declamando... Aún tenía aquellas gasas blancas, aquellas flores artificiales que adornaban su vestido en su fotografía preferida.

Triunfar... Tenerles a todos a sus pies. Luego, rechazarles, como una reina.

No podía estarse quieta. Hizo un gesto brusco y dio en la cara a su marido, despertándole. El hombre tuvo un sobresalto.

—¡Eh! ¿Qué pasa? ¿Qué hora es?

—Nada... ¿Qué dirías si me fuera a ver a mi familia de Barcelona? Me han invitado...

—¿Qué dices?... ¡Cuernos! Vete adonde quieras; mientras más lejos mejor... Y no fastidies...

"Me iré — pensó Mercedes —. Me iré."

Este sencillo pensamiento le volvía joven el corazón, le hacía llorar, como a un preso a quien abren la cárcel.

—Me iré.

Tenía dinero. Don Juan le había dado bastante dinero. Se teñiría el pelo, se cuidaría las manos, se perfumaría... Triunfaría.

—Doña Eloísa me ayudará... Sí, doña Eloísa...

Ya no se acordaba bien de cómo era doña Eloísa; pero era una señora muy buena. De eso estaba segura. Había mediado muchas veces para que sus tíos la perdonaran... El día de su boda lloró... La ayudaría.

Durante todos los días que siguieron, continuó Mercedes aferrada al recuerdo de la vieja señora. Este recuerdo le daba ánimo para preparar su viaje. Consiguió un salvoconducto; secretamente se cosió un traje nuevo... Con una botella de agua oxigenada se tiñó los cabellos, y se los quemó. El marido se dio a todos los diablos y la golpeó.

— "¿Que te vas con tu familia?... ¡Vete con tu familia de una vez!... Hace veinticinco años que oigo esa murga. A ver si desapareces un buen día y nos dejas vivir."

Mercedes compró un billete de tercera clase, y se fue sin despedirse. Sin saber por qué, lloró mucho cuando el tren arrancó de la estación. Luego se fue serenando.

El viaje fue incómodo. Casi insufrible. En aquella época los trenes iban abarrotados, no se encontraba nada para comer en las estaciones. Nadie se fijaba en aquella mujer aunque era tan extraña, con su cabello quemado y teñido, y por todo equipaje una cesta, que vigilaba con el mayor esmero.

Tuvo que hacer dos transbordos; casi se quedó helada una noche, aunque aún no era época de frío. Cuando llegó a Barcelona vio con desesperación que su traje nuevo estaba manchado de hollín, así como su cara y sus manos. Eran las ocho de la mañana. Se sentía entumecida, tímida. Entró en un bar, y pidió un café.

Al pronto miraba hacia todos lados, recelosa. Pensaba que iba a encontrar alguien que la reconociese. Que la iban a interrogar. Nadie le decía nada, y concluyó tomando su brebaje hirviente con una satisfacción extraña. No comprendía cómo no había tenido arrestos, en tantos años, para hacer lo que estaba haciendo ahora. Se sentía libre, inocente. Una colegiala en vacaciones.

Se puso en camino un rato más tarde. Tenía que buscar la casa de su sobrina, la casa de doña Eloísa, y era muy difícil orientarse en aquella ciudad que ella creía conocer tan bien pero que le daba la impresión de haber crecido, de haberse complicado monstruosamente. Se sentó en un tranvía con aire de reina. Había olvidado ya la negrura de su cara y sus manos... Y se había equivocado de línea.

Dio mil vueltas, anduvo, preguntó... Al fin encontró la casa. La portera la miró con desconfianza.

—¿A doña Eloísa busca?... ¡Ah, bueno!...

En la puerta del piso tuvo que aguantar la inspección de una criada, que al cabo, con un "¡Espere!" le cerró la puerta y la dejó esperando allí, en el rellano de la escalera.

Unos minutos después la puerta se abrió y en su marco apareció una viejecita vestida de negro. La viejecita tenía el cabello plateado, sujeto en un moño. Aunque Mercedes no recordaba ya la cara de doña Eloísa, supuso en seguida que era ella.

—Pero, ¿no me conoce? ¿No me conoce?...

Se tiró a sus brazos, antes de que la anciana tuviera tiempo de retroceder. Porque doña Eloísa veía algo muy raro. Una mujer con el cabello rojizo, quemado, vestida de verde, con una cara completamente llena de tiznones, donde relucían unos ojos verdes también. Doña Eloísa temió deshacerse en aquel impetuoso abrazo.

—Hija... ¿No te habrás equivocado?... Ahora no recuerdo...

— Soy Mercedes, la hermana de María Rosa.

— ¡Dios mío!... Pasa.

Mercedes siguió a la señora a lo largo de un pasillo oscuro. Luego se abrió una puerta y apareció una alegre habitación, y una alegre galería de cristales donde cantaban en su jaula dos canarios y se abrían flores en macetas. Una mujer joven, de cara severa, daba su papilla a un niño de un año, que no quería tomarla. Se volvió, y sus ojos se abrieron con cierto espanto, luego con irritación, al ver a su abuela seguida de aquel esperpento.

— Hija, Lolita... Aquí tienes a tu tía Mercedes, que acaba de llegar.

— ¿A *mi* tía?... ¿Qué tía?

— La única hermana de tu madre.

Lolita se limpió la mano en una servilleta y luego la tendió a Mercedes.

— Perdone. Nunca había oído hablar de usted.

Cayó un silencio penoso. Un silencio que sólo interrumpían los pájaros con sus gorjeos.

Mercedes se había derrumbado en una silla del comedor. Porque aquella habitación era un comedor muy bonito, abierto por una puerta corrediza a la amplia galería, donde estaba Lolita con su niño, y que estaba amueblada como un simpático cuarto de estar.

Mercedes miraba los cuadros de las paredes, el frutero del aparador, las blancas cortinas de la galería.

— ¡Dios mío! ¡Qué felicidad estar aquí!

Esta exclamación no encontró eco. Otra vez un silencio extraordinario volvió a caer sobre las mujeres, durante un minuto lo menos.

CAPÍTULO III

Usted, doña Eloísa, me lo dijo… "Si algún día no puedes aguantar a ese monstruo, escápate, ven a mis brazos. Yo te ayudaré, yo te protegeré…" Todos estos años he vivido pensando en esas palabras. Aquí me tiene.

Era la hora de la comida de mediodía. La familia estaba en la mesa. Todos miraban a doña Eloísa. Todos, eran: Lolita, su marido — un joven serio — y un niño de siete años, rubio y gracioso, que miraba con admiración a la abuelita.

Aparte de esta admiración, doña Eloísa sólo cosechaba en las miradas espantado asombro. Mercedes comía a dos carrillos, además de hablar. Los otros, aunque estaban callados, casi no podían pasar bocado.

— Por eso, cuando don Juan Roses fue a verme de parte de usted, yo comprendí que era mi destino. He venido decidida a trabajar, a triunfar. Usted me acompañará por los camerinos. Su respetabilidad me pondrá a salvo. Porque son muchos los peligros del teatro para una mujer como yo… Y no quiero…

Las cabezas del matrimonio se volvían como si un mecanismo las manejase a compás. Los dos pares de ojos iban de la cara extraordinaria de Mercedes a la no menos asombrosa de la abuelita.

La abuelita, tímida como un pájaro desde que Lolita tenía uso de razón, no parecía extrañada en absoluto de las razones que daba aquella loca. Hasta tenía una chispa divertida en los ojos.

—¿De modo que don Juan te fue a ver de mi parte?

—Sí... Si no llega a ser por eso, yo hubiera muerto. Estaba a punto de suicidarme cuando llegó.

Lolita no se pudo contener.

—¿Es verdad eso?... ¿Tú mandaste a don Juan, abuela?...

La abuela no mentía nunca. Eso lo sabían todos. Pero la abuela, sin que nadie se explicase por qué, tampoco quería decir la verdad.

—Hijos míos... Yo soy tan vieja, que todo se me olvida. Es muy posible que como yo he recordado tantas veces a Mercedes en estos años, a don Juan se le ocurriera...

Ahora el matrimonio se miraba. Debieron de comunicarse muchas cosas en un segundo, con los ojos. El marido parecía interrogar. La mujer contestó con un gesto de asentimiento. Entonces él habló.

—El caso es... que usted, Mercedes, debe pensar dónde va a hospedarse. Aquí no podemos tenerla.

Mercedes se irguió. Frunció el ceño.

—Doña Eloísa dirá la última palabra.

—Mercedes... Esta casa es de Luis. Bastante hace con tenerme aquí, el pobre... Pero por esta noche podrás dormir en mi cama...

—No, yaya.

Fue una terminante negativa la de Lolita; ni el cariñoso apelativo de "yaya" pudo dulcificarla.

—Bueno, pues ya buscaremos esta tarde una pensioncita...

—Hay que saber si doña Mercedes tiene dinero.

—Tengo dinero.

—Entonces no hay más que hablar... Y la felicito. Nosotros, en cambio, no tenemos.

Doña Eloísa pensó que Luis estaba furioso. La gente, después de pasar los terribles años de guerra, se había vuelto así, malhumorada y poco hospitalaria... Y ¡aquella buena de Mercedes, presentarse así!... Buena la había hecho don Juan con ir a verla... No era posible que don Juan le hubiese dicho que ella, Eloísa... ¡Si ella casi no había hablado nunca con don Juan! Por lo menos, de Mercedes no había hablado nunca...

Después de aquella terrible conversación a mediodía, la abuelita tuvo que sufrir interrogatorios y reproches a media voz. Se consultó el periódico, y Luis señaló una lista de habitaciones cuyo alquiler módico se ofrecía. Mercedes salió a buscar alojamiento, sin que la abuelita pudiera acompañarla.

—Tú te quedas en casa, yaya... ¡A tus años!... Mercedes ya sabrá manejarse sola.

Mercedes sabía. A media tarde volvió por su pobre equipaje. La abuela le susurró al oído:

—Mañana, a las ocho, en la iglesia de...

—¿Qué le decías a esa loca, yaya?

—Nada, hija...

—¿Es verdad que cuando se casó le aconsejaste que se separase del marido?... Me imagino que serán invenciones suyas.

La abuelita se puso las gafas, porque iba a coser.

—Sí, hija; creo recordar que le dije algo por el estilo...

—¡Abuela!

La abuela enrojeció. Al cabo de un rato se fue serenando, y entonces levantó la vista, sobre sus gafas, y encontró que la cara de su nieta era demasiado dura.

—¿Qué edad tienes, hija mía?

—Vamos, yaya. Pareces trastornada hoy tú también. Veintisiete años.

—Justo, tenías dos cuando Mercedes se casó... Mercedes era encantadora en aquel tiempo... Y tan loca...

—Pero tú siempre has sido tan razonable... ¡Es increíble que le dijeras una cosa así!... Y que ella se acuerde al cabo de veinticinco años y tú lo encuentres natural... Vamos, me parece que empiezas a chochear... Luis estaba estupefacto.

—Luis y tú sois demasiado jóvenes. Es natural que no entendáis...

—No me vas a decir que piensas acompañarla por los camerinos...

La abuelita suspiró.

—Pobre Mercedes... No habrá camerinos...

—Claro que no... ¡Si está para mandarla al manicomio!

*

Luisito, el niño mayor del joven matrimonio, fingiéndose dormido, atisbaba por entre sus pestañas rubias a la "yaya", su bisabuela, que compartía con él un pequeño dormitorio.

Habían comprado los padres dos camitas exactamente iguales, hacía poco. Había otro niño en la casa

y la cama de la abuelita sería para él el día de mañana. La abuelita sabía que se contaba con su próxima
muerte, porque en estos tiempos modernos se cuenta con
todo, y hasta sentía vagos remordimientos por encontrarse tan fuerte, tan ágil, tan gozosa de vivir... Quizá
llegase a tatarabuela, por aquel camino... Luisito, el
día de mañana pudiera llegar a encontrarse en la obligación de mantenerla. Esto era turbador. La abuelita
siempre había sido mantenida, vestida, cuidada por
alguien. Primero sus padres. Desde los diecisiete años,
su marido. Más tarde su pobre hijo; luego un nieto;
ahora, el marido de esta nieta...

— La yaya tiene suerte. Pertenece a esa generación
de mujeres que jamás han hecho nada... Nunca ha sido
capaz de ganar un céntimo.

— ¿No has ganado nunca un céntimo, yaya?

— Nunca, hijito.

— Yo ganaré para ti cuando sea grande.

A la abuelita le funcionaba bien el corazón, conservaba misteriosamente íntegra la dentadura, lo que, a
pesar de sus arrugas, la hacía tan juvenil al reírse, y
sus ojos hundidos eran brillantes, y estaban dulcifica-
dos por unas asombrosas pestañas oscuras, rizadas, totalmente infantiles. Nadie se daba cuenta de estas be-
llezas de la yaya, pero sí se presentía que "iba a dar
guerra" mucho tiempo aún.

Al pequeño Luisito le gustaba mirarla todas las noches, cuando ella hacía sus oraciones. Algunas veces
Luisito estaba ya dormido, pero la mayoría despertaba
al roce de sus zapatillas de fieltro en el suelo, y la veía
venir, con una bata gruesa sobre su blanco camisón y
arrodillarse en el reclinatorio bajo el cuadro de la Virgen de Montserrat. Siempre había una lamparilla en-

cendida debajo del cuadro de la Virgen, y durante toda la noche aquella luz velaba y libraba de la oscuridad. Aquella noche, cuando llegó doña Eloísa, el niño estaba bien despierto. Había oído cosas extraordinarias sobre su yaya, dichas por sus papás y parecían muy enfadados.

"—Pronto nos encontraremos en la obligación de encerrarla... ¿Te has fijado cómo le daba alas a esa chiflada?... ¡Estaba dispuesta a meterla en casa!... Los viejos se vuelven como criaturas. Hay que vigilarla mucho..."

Luisito la vigilaba mucho, pero nada raro encontraba en ella. Ahora, rezando a la Virgen, era la misma abuelita encantadora de siempre. Es verdad que se cubría la cara con las manos, pero eso lo hacía siempre, no sin que a Luisito le dejase de producir una terrible inquietud. Le parecía que nadie se tapa la cara así más que para llorar. La abuelita meditaba en los extraños caminos de la Providencia.

"—Me la has puesto en las manos, Dios mío. Quizá pueda hacer algo por ella... Al pronto ni me di cuenta. Más bien me asustó..."

Doña Eloísa tenía el humilde convencimiento de que Dios sólo había querido de ella cosas muy chiquitas y fáciles. Había sido una administradora prudente de humildes bienes que nunca consideró suyos, y le habían estado vedadas las grandes obras de caridad. Ahora ni siquiera podía echar en el cepillo de la iglesia diez céntimos, porque su nieta solía olvidar que la yaya, a pesar de estar tan bien cuidada, tan decentemente vestida, quizá necesitara algo de dinero para un pequeño capricho. Y la yaya jamás reclamó esto. Se consideraba con una inteligencia muy mediana, incapaz de aconsejar

a nadie más que con el ejemplo de su alegría, y aunque
jamás había estado ociosa, consideraba que había hecho
muy pocas cosas en su vida. Que ella supiera no había
salvado a ningún pecador, y hasta temía que su hijo,
bastante escéptico, hubiese pensado muchas veces, al
ver su fervor, que la credulidad — como él decía —
estaba reservada a las almas simples y tímidas, a las
personas insignificantes como su madre. Esto la había
llenado de angustia muchas veces, aunque jamás lo
dijo a nadie.

"— Tú me la has traído, Dios mío... Y al pronto
no lo entendí."

Doña Eloísa había sentido cariño por Mercedes
cuando Mercedes era una criatura encantadora, llena de
vida, algo desquiciada. Se acordaba muy bien de que
aquella precipitada boda suya con un hombre de aspecto zafio a ella le horrorizó. Sabía que Mercedes
iba al matrimonio como lanzando un reto al destino.
La misma María Rosa, su nuera, comentó:

"— Menos mal que él parece capaz de dominarla.
Pero no me fío mucho de que no se escape con un
violinista el día menos pensado."

Doña Eloísa se impresionó con aquello del violinista.

— Hija, prométeme que si alguna vez piensas hacer una locura, te acuerdes de que tienes una vieja
amiga que no te abandonará... Antes de hacer nada,
ven, habla conmigo.

Algo así de disparatado le había dicho ella a Mercedes el día de su boda. Mercedes le contestó con al-
tanería que se casaba enamorada y que era más decente que muchas beatas mojigatas que conocía.

Luego, Mercedes desapareció. No vino ni a la muerte de su madre. Nadie supo jamás qué había sido de su matrimonio ni de su vida. Pero doña Eloísa, día a día, había incluido su nombre en la rutina de sus oraciones. Y ahora, había aparecido.

"— Te pedí día a día por ella, y ahora viene a mí... Es justo, Señor; pero, ¿qué puede hacer esta pobre vieja con una pobrecita mujer chiflada que sueña un delirio de grandezas y de triunfos como desquite a toda su vida?"

La oración se prolongaba. Luisito vio que, en efecto, la abuelita se secaba unas lágrimas de sus ojos al levantarse del reclinatorio. Ahora se acercaba a él. El niño no se fingió dormido.

— ¿Te ha reñido mamá, yaya?

— No, hijo.

— ¿Es verdad que eres una viejecita un poco chiflada?

— No lo sé... Me parece que sólo un poco cobarde.

✳

Mercedes no apareció al día siguiente en la iglesia donde doña Eloísa iba todas las mañanas y a donde le había dado cita. Durante una semana, doña Eloísa la esperó con paciencia. Al fin la vio una mañana cerca de la puerta de su casa. Parecía aún más desquiciada que el día que llegó de su viaje. Había adelgazado.

— Si usted no me consigue diez pesetas, doña Eloísa, ya no tendré cama para dormir esta noche.

Doña Eloísa tuvo ganas de persignarse, como cuando empezaba una tarea difícil, pero contuvo aquel gesto.

— Todos los días te esperé en la iglesia... ¿Por

qué no has venido? Sube conmigo. Vas a compartir mi almuerzo.

Lolita no estaba en casa, lo que era — según pensó doña Eloísa — una suerte. En un ángulo de la mesa del comedor se veía, sobre una servilleta limpia, un tazón azul y un trozo de pan amarillo, de aquel pan de entonces, que se rompía al caer al suelo.

— Traiga otra taza para la señora.

La criada se plantó.

— Sólo hay leche justa y ese trozo de pan.

— Por eso le digo que traiga otra taza. Vamos a compartir la leche.

La leche era mala, pero estaba caliente y confortaba. Fue cuidadosamente repartida en las dos tazas. La abuela dijo que no tenía hambre y dejó su trozo de pan a Mercedes.

— ¿Y esto es un almuerzo en una casa de señores? Mejor lo tomábamos nosotros, siendo pobres...

— Tiene que ser así en estos tiempos. Lolita es muy buena ama de casa. Yo, en su lugar, no sabría cómo arreglarme... A veces me da pena.

— Es una roñosa y nada más.

— No, hija.

Mercedes contó sus aventuras, haciendo que doña Eloísa le jurase no comentarlas con sus nietos.

— Nadie tiene que saber estas miserias hasta que yo triunfe...

Mercedes no tenía habitación fija. Había descubierto unos dormitorios para mujeres, en los que por poco dinero se podía descansar. Una buena mujer que había conocido le guardaba el equipaje... Había estado dos veces en el teatro, y había hecho además una solicitud para sindicarse como profesional, pues quería trabajar.

— Eres muy lista, hija... ¿Cómo te has enterado de tantas cosas en tan poco tiempo?

— Yo misma estoy asombrada... Pero una conoce gente... El hambre agudiza el ingenio... ¡Je, je!

Aquella risita nerviosa de Mercedes era muy desagradable.

— Yo no te puedo dar diez pesetas, hija mía, porque no las tengo... Pero te daré otra cosa... Sí, ya lo he estado pensando durante el desayuno; te daré otra cosa... Pero has de prometerme que me vendrás a ver. No puedes estar así, sola, haciendo esa vida terrible.

— ¿Vida terrible?... Usted no sabe lo que es una vida terrible... Vida terrible la que yo llevé al lado de aquel hombre.

— Parecía un buen hombre... Pero no para ti. Quizá también él ha sido desgraciado.

— ¿Él? ¿Qué más quería que una mujer como yo?... ¡Que usted me diga esas cosas!...

— ¿Has tenido hijos?

— Siete.

— Dios mío... ¿Dónde los has dejado?

— Cinco murieron... Los dos que quedan son grandes, y no me quieren. Salieron al padre...

— Pero, ¿no piensas en ellos nunca?

Mercedes frunció el ceño.

— No pienso, no... No pienso. Ya es hora de que una vez en la vida piense en mí, en mí, en mí...

Era una especie de ataque histérico. Llegó Lolita cuando lo tenía.

— ¡Vamos! ¿Pero qué es esto?

— La pobre — comentó la abuelita —, se le han muerto cinco hijos...

Lolita quedó desconcertada.

— ¡Vaya por Dios!... Pues es una desgracia...

No lo creía del todo, y sin embargo, de las mil cosas que había oído en boca de su tía Mercedes, ésta era una de las pocas absolutamente verdaderas. Mercedes se serenó de pronto. Le había tomado cierto miedo a Lolita. Hubo una pausa.

— Hoy, tía, no te puedo invitar a comer.

— Gracias, estoy invitada en otro sitio.

— Veo que te arreglas bien... ¿No piensas volver con tu marido?

— Jamás.

— Sin embargo, después de tener cinco hijos...

Un silencio.

A doña Eloísa le palpitaba el corazón.

"Yo te lo he pedido, Dios mío, y ella ha sentido mi llamada... Pero ahora... ahora no sé qué hacer."

Por lo pronto, la abuelita hizo algo práctico. Escondiéndose de Lolita dio a Mercedes un grueso reloj de tapa, todo de oro, adornado con brillantes. Una joya antigua, la única que guardaba.

— Empéñalo, hija mía, y no dejes de venir a verme.

— Se lo pagaré con creces cuando sea famosa.

Y cuando Mercedes se fue, las consabidas desconfianzas de la nieta.

— Vaya, no sé qué conciliábulos te traías con Mercedes en tu cuarto, pero te voy a pedir que esa mujer no entre otro día en el dormitorio de mi niño... No sé si te has fijado, pero es espantosamente sucia. No sé cómo la aguantas al lado.

— Ya ves, hija...

*

Mercedes vivía de una manera extraña, pero vivía. Encontró un barrio en el que su facha no extrañaba, un café donde podía permanecer horas al abrigo de la calle. Unas raras gentes, unas raras mujeres que encontraban su caso muy natural y que la animaban en sus ensueños. No estaba chiflada, como decía el bruto de su marido como decían sus hijos y sus vecinas. Con el producto del reloj compró un traje de noche de quinta mano. Se lo aconsejó una buena mujer. Una mujer un tanto extraña, que le decía también que debía buscar hombres.

— Yo soy una señora.

— Yo también. ¿Y qué?... Todavía eres joven.

— Yo aspiro a ser una artista, no una fulana.

— Allá tú...

La verdad es que en aquellos ambientes de gentes turbias, la virtud de Mercedes sufría pocos asaltos. Casi podía decirse que Mercedes no atraía.

La amiga le habló de un local donde salían artistas espontáneos al tablado. Allí, una noche, con aquel traje que se había comprado, podía darse a conocer. Si gustaba, hasta la contratarían. Aquello podía ser un principio.

Se arreglaron las cosas para realizar este plan. A Mercedes le palpitaba el corazón como a una criatura. Ya no le quedaba casi dinero, prácticamente nada... Y todo el mundo tenía hambre alrededor suyo. Ella había añorado muchas cosas junto a su marido, había creído pasar años de miseria... Pero la miseria era esto que pululaba a su alrededor, y en lo que ella se veía envuelta... Por primera vez se preocupaba de los demás. Había repartido su dinero con otros, después de comprarse el traje. Se conmovía al escuchar que aquella mujer gruesa y pintada, que era su amiga, encontró muerta a una niñita, hija suya, cuando regresaba a su casa, durante la guerra. Mercedes tenía ganas de llorar al oírla.

— Tú no sabes lo que es perder un niño.

Y a Mercedes le parecía que no lo sabía. Que todas aquellas criaturas que se le habían muerto eran de otra mujer lejana, insensible. Una mañana fue a la iglesia que le había indicado doña Eloísa, y la esperó en la puerta. La viejecita sintió la misma inquietud y la misma alegría confusa de siempre al verla.

— Hija... He estado rezando por ti... ¿Se te acabó el dinero?

— No, doña Eloísa. Vengo a pedirle otra clase de favor.

— Desayunarás conmigo.

A Mercedes en los últimos tiempos se le había despertado una sensibilidad nueva. Una sensibilidad que la hacía pensar en los demás y ser delicada.

— Ya he desayunado, doña Eloísa, pero la acompañaré.

Y cuando estuvieron sentadas en el alegre comedor, mientras la abuelita migaba su pan en leche, aprovechando un momento en que Lolita se iba a sus quehaceres, dijo la gran noticia.

— Esta noche debuto.

La abuelita se atragantó.

— ¿Qué dices?

— Sí, en un local respetable... Tiene que acompañarme.

La abuelita empezó a toser tanto que hubo que darle golpecitos en la espalda para que se le pasara aquel ahogo.

—¿Yo?... ¿De noche?... No he vuelto a salir de noche desde que murió mi difunto... Y tenía yo veinticinco años, entonces...

Volvía Lolita.

—¿Qué pasa, yaya?...

—Nada, hija; que a Mercedes le van bien las cosas... Esta tarde va a venir a la iglesia conmigo, que hay exposición del Santísimo, para darle las gracias a Dios...

—¿Yo?

—Sí, hija. Es lo natural. Ya hablaremos entonces de todo.

Lolita parecía la imagen de la inquietud.

—Pues iré entonces... Usted no me falte.

—No, no. ¿Cómo voy a faltar?...

Y aquella tarde, anochecido ya, se encontraron en la iglesia.

CAPÍTULO IV

Doña Eloísa pasó un día de terrible inquietud. Hacía años que no sentía una emoción, una turbación tan grande. Llegó a comparar este trastorno, estas palpitaciones de corazón, esta ansiedad, con las sufridas el día de su boda, cuando apenas era una chiquilla.

No podía comer, ni zurcir la ropa, ni acertaba a contarle cuentos al bisnieto. Cuando su nieta la miraba de improviso, se ruborizaba. Le parecía un espantoso problema de conciencia el que le había planteado Mercedes con su petición de acompañarla aquella noche.

Comprendía que lo razonable era decir que no, que de ninguna manera, y hasta indignarse. ¡Ella, doña Eloísa, después de toda una vida pasada en la mayor austeridad, descolgarse a los setenta años con una escapada a un local nocturno, autorizando con sus canas las locuras de una perturbada!...

Imaginaba las caras de sus nietos, la cara de su anciano director espiritual...

Imaginaba todo esto, porque algo muy hondo dentro de ella la impulsaba a decir a Mercedes que sí, que iba a acompañarla. Una voz muy clara e insistente se dejaba oír en el fondo del alma de la abuelita explicándole que su presencia aquella noche podía impedir un último desvío de aquella criatura que le había venido a las manos. Estaba tan loca la desgraciada, que no comprendía las razones que ella le diese para negarse. Se sentiría abandonada como un perro. No volvería jamás a ver a doña Eloísa y aquel único hilito de luz que la ataba aún a una vida respetable, quedaría roto y cegado para siempre. Al evocar la cara de asombro que posiblemente pondría su director espiritual, doña Eloísa se agarró como a un clavo ardiendo a la idea de consultar con él aquella duda. Si él, con autoridad, confirmase aquella vocecilla imperiosa que le decía a doña Eloísa que la caridad no siempre tiene que ser prudente, entonces... ni mil nietos, ni mil enfados domésticos podrían impedir a la abuelita el cumplimiento de su deber.

Se detuvo unos segundos antes de marcar el número del convento donde vivía su director... Él le diría que no.

Marcó al fin. Si el padre Jiménez decía que no, pues no... Más sabría el padre de caridad cristiana que una pobre vieja. Le obedecería.

Todas sus angustias se calmaron en un momento, y una gran paz la invadió mientras marcaba aquel número.

Este estado espiritual sólo duró unos minutos. Los que transcurrieron hasta que fue informada de que el padre Jiménez no estaba en Barcelona y de que no volvería hasta la semana próxima.

"No hay nada que hacer, Dios mío; Tú quieres que yo resuelva sola."

Lolita observaba la inquietud de la abuela con cierto fastidio.

"Se está volviendo muy distraída... No me ha contestado a derechas nada de lo que le he preguntado esta tarde... Hasta ahora nunca había dado muestras de que sus facultades comenzaran a flojear... Pero Luis tiene razón; nos hemos echado una carga encima al traerla a vivir a casa."

Sin hacer ruido buscó por todas las habitaciones a la abuela, que había abandonado su costura un rato antes. La encontró arrodillada en su reclinatorio, bajo el cuadro de la Virgen.

"Bueno; mientras sólo le dé por ahí..."

Atardecido salió la abuelita de su cuarto, muy elegante, con sombrero.

— ¿Adónde vas, yaya?

— A la iglesia, hija mía.

— Creí que irías a alguna visita. Como nunca te pones sombrero para ir a la iglesia, como no vayas de boda...

— Sí, hija; pero un día es un día. Si quieres acompañarme...

— Tengo demasiado quehacer en casa para permitirme beaterías, ya lo sabes.

— Nunca te lo he reprochado... Tienes que perdonarme que te haya ayudado hoy tan poco en la costura...

La nieta sonrió, con su sonrisa difícil, que tanto le suavizaba la cara las raras veces que aparecía.

— No te preocupes, yaya... Haces más de lo que puedes.

Y la abuelita sintió unos terribles remordimientos.

Ni la Divina Presencia, que sentía en la Sagrada Forma, lograba calmar su angustia.

"Dime algo, Dios mío, indícame algo... Nunca supe

resolver nada... Te pedí muchas cosas durante mi larga vida, unas me concediste, otras no... Yo siempre acepté tus designios... Y ahora, a mi vejez, esta mujer por la que tanto he rogado, viene a mí... Y yo no he sabido aconsejarla, ni dirigirla, ni creo que hubiera servido de nada... Y me pide un favor absurdo, y yo tengo la idea de que mi caridad está en concedérselo, aunque se disgusten mis nietos, aunque me manden a un manicomio..."

Mercedes encontró a doña Eloísa arrodillada y llorando, cuando entró en la iglesia.

Mercedes había pasado un día de plena euforia, ensayándose a recitar. Se había probado su traje de noche en el cuarto de su amiga, aquella servicial mujer gruesa, de vida irregular, que se ofreció a prestarle varias pulseras y un collar de vidrio reluciente.

Mercedes sacó del fondo de su cesta unos tules viejos.

—¿No irían bien tapando algo el escote?

—Quita allá... Tienes un escote hermosísimo. Hay que lucirlo.

—Ten en cuenta que yo... aunque me has conocido en estas circunstancias, soy una verdadera señora... Ya sabes que todo lo que sea arte, bueno; pero otras cosas... Si hubiera querido engañar a mi marido no me habrían faltado ocasiones en veinticinco años... Además he invitado a una señora de mi familia. Una verdadera dama.

—Has hecho bien. Eso da tono...

—Sí; quiero dejar bien sentada mi posición. Arte puro. Si algún día vuelvo a encontrarme con mi marido y con mis hijos, quiero que sean ellos los que me pidan perdón de rodillas, no lo contrario...

—No sabía que tuvieras hijos...

Mercedes había encontrado a esta mujer comiendo en la misma mesa que ella en un restaurante de ínfima categoría. Era una mujer ya mayor, con bolsas bajo los ojos, con el traje muy pretencioso, pero sucio y ajado. A pesar de eso, llevaba las uñas pintadas y una raída piel al cuello. También llevaba sombrero. Parecía impaciente del mal servicio.

—No sé cómo aguanto estas ordinarieces. Me viene cómodo este restaurante porque está cerca de casa, pero si no...

—Cuando se está acostumbrada a otra cosa...

Esta observación de Mercedes le conquistó su simpatía. Al encontrar una oyente de un pasado de grandezas, de fabulosos amantes arruinados por su amor, de viajes en trenes de lujo, la simpatía aumentó. Al saber que Mercedes había abandonado a un marido incomprensivo, y que estaba sola y decidida a triunfar por sus propios medios, la tomó inmediatamente bajo su protección. Aquella respetabilidad que Mercedes exhibía siempre, como una especie de pasaporte, la admiraba, aunque la juzgaba una ingenuidad. Mercedes le contó que tenía familia en Barcelona.

—Gentes burguesas, ¿sabes? Tampoco quiero depender de ellas para vivir.

Cuando Mercedes apareció un día con el reloj de la abuelita, la amiga se encargó de su empeño. Trajo bastante dinero. La verdad es que lo había vendido.

—Por el empeño te darían una miseria... Lo mismo lo recuperarás cuando tengas dinero.

A Mercedes esto le causó un gran disgusto.

—Doña Eloísa no se merece esto; no, no se lo merece...

—Pero si lo recuperarás... ¡Vamos!... En vez de agradecérmelo...

Mercedes se lo agradeció regalándole parte de aquel dinero.

—Lo tomo como comisión —dijo dignamente la amiga.

Ya había tomado otra comisión adelantada. Pero esto no lo dijo. Al fin y al cabo era sincera en su afán de proteger a "la pobre chiquita".

—¿Sólo sabes recitar eso de las oscuras golondrinas?... Siempre gusta, pero está muy visto.

Mercedes también sabía "El tren expreso". La amiga opinó que esto era mejor, y que le daba muchísimo sentimiento.

Al llegar la hora de la cita en la iglesia, Mercedes se fue a buscar a la abuelita.

—No sé qué ponerme... Tendré que ir a la iglesia.

La amiga se impresionó y le dejó su sombrero y su piel para cubrirse un poco los brazos, porque el vestido de Mercedes era excesivamente veraniego.

—Creo que permiten las mangas hasta el codo. Pero así vas más vestida.

Mercedes brillaba con su traje del fulgurante verde, el mismo que había cosido en su casita lejana, y que se había puesto para el viaje. Las luces del templo estaban encendidas. Mercedes entró con aire de reto. Nadie se fijó en ella. Casi inconscientemente se arrodilló en la puerta. Daban la bendición con el Santísimo.

Era una extraña, olvidada sensación. Desde su boda, pocas veces había estado Mercedes en una iglesia.

"No me hacen falta beaterías para ser más honrada que nadie, ni para tener más corazón que mis tíos, que me echaron de casa sólo por una tontería de niña, porque yo era artista de corazón, y me tenían envidia...".

Ahora estaba arrodillada, un poco temblorosa. Aprovechó aquello para una tímida petición.

"No creo mucho en Ti... Pero si esta noche triunfo mandaré a decir una Misa."

Esta promesa le daba fuerza ante sí misma. Ella no pedía nada sin pagarlo...

Parte de las luces se apagaron. El sagrario estaba cerrado. Algunas personas salían ya.

Mercedes buscó con los ojos a doña Eloísa. Era difícil distinguirla entre tantas señoras vestidas de negro... Al fin la vio. Al acercarse notó que estaba llorando. Las lágrimas le caían tan serenas por su cara arrugadita, que era muy posible que ni lo notase. El corazón de Mercedes se conmovió debajo de su brillante vestido. Aquella señora había sido indeciblemente buena con ella... sin motivo. Y debía de tener muchas penas si lloraba de aquella manera. Vivir con aquella odiosa nieta debía ser desagradable.

Sin hacer ruido se arrodilló a su lado. Doña Eloísa pareció sentir su presencia, porque después de secarse las lágrimas con su pañuelo volvió la cara hacia ella. Mercedes no pudo darse cuenta del sobresalto que recibía doña Eloísa al verla con aquel sombrero y aquellas pieles. Medio minuto temblaron los labios de la viejecita antes de que pudiera florecer en ellos una sonrisa de bienvenida. Luego hizo la señal de la cruz y se levantó. Las dos salieron a la noche de septiembre.

—¿Vendrá, doña Eloísa?

—No sé, hija mía... Si pudiéramos entrar en algún sitio para hablar tranquilamente... Pero ni siquiera puedo invitarte a un café...

— ¿No puede? No se preocupe. Para eso, tengo.

Entraron en una lechería. No podían hacer una pareja más estrambótica. Doña Eloísa llevaba un sombrero muy discreto, un abriguito de lana fina, una tirita negra al cuello.

— Hija... Si voy contigo ha de ser sin permiso de mis nietos. No comprenderían nunca que yo quisiese salir de noche. En cuanto a acompañarme, ni pensarlo... Comprenderás que si lo hago es porque creo en ti...

— No le defraudaré... He oído a las mejores actrices. No son nada comparadas conmigo...

— No es eso. Aunque no triunfes, yo creo en ti. Creo que eres una mujer buena y desgraciada que trata de encontrar su camino y quiero ayudarte, quiero acompañarte en tus peligros, para que no pienses que una vieja egoísta, llegado el momento, no supo ser cristiana y te dejó sola... Pero tú me vas a hacer en cambio otro favor.

— Se lo juro.

— Me vas a dar la dirección de tu marido... Por lo que tú me has contado de él, es un hombre algo ordinario... hasta bruto, pero no malo. Quiere a sus hijos, trabaja... Si se ha reído de ti, si te ha exasperado, será sólo porque no te ha entendido... Pero a estas horas estará angustiado sin saber dónde has ido... Tal vez desea que vuelvas... Tus hijos también te echarán de menos. No es posible que todos tengan un corazón de piedra... Yo sé que no.

Doña Eloísa hablaba con una extraña fluidez. Conmovida hasta lo más hondo. Algo de su emoción se le contagió a Mercedes. Pero ésta movió la cabeza.

— Yo no volveré... Usted no sabe lo que es sentirse como enterrada viva años y años. Llegar a creer que una está chiflada. Tumbarse en la cama días enteros a ver si viene la muerte.

La dueña de la lechería atisbaba con desconfianza a sus dos únicas clientes de la tarde. Una señora, una anciana respetable, pulquérrima... y, no cabía duda, una fulana de baja estofa... Las dos llorando.

De pronto, Mercedes se sitió fría. Tuvo un segundo de considerar chiflada a doña Eloísa. Le pareció una tontería aquella invitación a su "debut". Si la vieja no quería ir, buena gana de obligarla. Ahora salía hablándole del marido y de los hijos. ¿Qué le importaba a ella? Luego se fijó en la alianza que doña Eloísa conservaba en uno de sus delgados dedos, y le vino el recuerdo de la joya vendida. Aquella pobre señora sólo procuraba su bien... ¡Y era tan señora!... Ésta era la verdad. Su amiga no acababa de creer la historia de la familia respetable. Aquella tarde le había contado, además, que había dejado una casa provinciana, llena de comodidades, hasta de lujo, por seguir la llamada de su arte... Si doña Eloísa iba con ella, lo creería.

— ¿Es necesario que yo le dé la dirección de mi marido para que usted venga conmigo?

— Sí, es necesario.

Mercedes se la dio, y doña Eloísa sintió esto como un triunfo... No sabía por qué era un triunfo... Concretamente no se había propuesto nada. Le parecía que hasta tenía fiebre.

— Ahora, hija mía, yo no puedo volver a casa... No me dejarían salir. Eso es seguro. Vas a telefonear tú, diciendo, de mi parte, que me han invitado a cenar unos amigos, y que me dejen la llave del piso debajo del felpudo... Así se la dejamos a mi nieto algunas veces...

Mercedes cumplió el encargo.

—Ya está. Se ha puesto la criada... No entendía bien al pronto, pero se lo he repetido.

—¡Que sea lo que Dios quiera!

La exclamación de la anciana salió ahogada, como la de un condenado a muerte.

Después, doña Eloísa se vio envuelta en la única aventura de su vida que mereciera este nombre. Entró por un barrio de callejas sucias que no conocía. Subió a un extraño piso, antiguo, oscuro, donde, en una habitación pequeñísima, la recibió una mujer monstruosa. Ella sola podía llenar el cuarto con sus carnes, pero había además una cama con las ropas grises, un armario con espejo y una especie de tocador cargado de cosas. Desde unas medias arrugadas, pasando por barras de labios, una caja de rimmel, una polvera monstruosa y la fotografía de un bailarín, hasta un bocadillo a medio comer.

La mujer pareció comprimirse un poco para que cupiesen allí doña Eloísa y Mercedes. En seguida se puso a charlar y a disculparse de la pobreza de su habitación.

—No siempre he vivido así... Me pasa como a esta niña... Es el azar, el destino. Unos tienen mucho, otros tienen poco. Para unos la vida es fácil, para otros difícil.

Doña Eloísa no despegó los labios. Sólo sonreía. Estaba pensando que la vida, la verdad, no era muy fácil para nadie. Que a Lolita, por ejemplo, le sería más fácil y más barato tener la casa sucia y descuidada, y dejar que los niños fuesen rotos y con los mocos colgando, y si Luis se enfadaba, acostarse en la cama y pensar en la muerte, como había hecho esta estúpida de Mercedes durante años...

La sonrisa de la abuelita se volvió dura. Sí, Mercedes era una estúpida y ella otra. Estaba muy arrepentida de haber venido. Y ni siquiera se atrevía a decirlo.

—La vida es injusta, injusta —seguía diciendo la gorda—; si Dios existiera, no consentiría esto.

Entonces la abuelita se indignó. Estaba tan poco acostumbrada a indignarse que sólo le salió una vocecilla temblona.

—Yo sé una cosa... Que Dios existe, y que la miseria puede llevarse de muchas formas. En casa hemos pasado hambre durante la guerra, pero no hubo suciedad ni abandono, porque mi nieta es una mujer heroica; ella tiene su pago en su conciencia limpia, en el respeto de su marido, y como ella tantas mujeres, tantos hombres que se sacrifican... ¿Es esto injusto?... No todo depende del dinero ni siquiera de la juventud ni de la salud. Yo he vivido mucho y lo sé.

—Con usted no me meto, señora, usted es muy buena, no hay más que verlo; pero le aseguro que yo tampoco soy mala... Pregúntele a esta niña quién la ha acogido en esta ciudad, si su nieta o yo...

Doña Eloísa no sabía por dónde salir. Se sentía como en una pesadilla.

—Vamos, anímese. Le voy a dar una copita.

Doña Eloísa tomó la copita y se sintió, en efecto, más animada. Cuando llegaron al local del "debut", hasta le gustó. Había orquesta, mucha geste bien vestida en aquellas mesas... Y mal vestida también. Todo era extraordinario. Sobre una tarima subían los artistas. Casi todos cantaban. Les aplaudían mucho. Doña Eloísa hasta empezó a comprender que aquellos aplausos les enviciaran.

Cuando subió Mercedes al estrado, empezó a palpitarle locamente el corazón.

Estaba horrible. Era horrible su traje. Horrible su cabello quemado a trozos, con las raíces oscuras. Horribles aquellos abalorios que se había puesto... Sin embargo, la aplaudieron antes de empezar. Ella saludó. Abrió los brazos y echó la cabeza hacia atrás. Luego empezó. Doña Eloísa cerró los ojos para no verla, para oír su voz solamente. Y su voz era agradable, llena. Y recitaba algo muy sentimental, algo que doña Eloísa conocía y le gustaba.

"¡Ah, Dios mío; tiene talento!"

Esta exclamación íntima de doña Eloísa se vio cortada por varias carcajadas incontenibles que estallaban en las mesas. La anciana abrió, asombrada, los ojos.

Mercedes, casi en trance, sin darse cuenta de nada, seguía...

Las risas se hicieron fuertes, descaradas. Un chico joven, en traje de etiqueta, se apretaba el estómago, como si se pusiese enfermo de tanto reír.

Mercedes, espantada, dejó de recitar. Las risas bajaron de tono. Se oyeron voces.

— ¡Que siga! ¡Que siga!

Mercedes siguió, con la voz un poco temblorosa. Pero ya no estaba segura de sí misma, miraba hacia los lados, se equivocaba...

Aquello, aquella agonía que doña Eloísa estaba viendo, parecía ser de una gran comicidad. Pero entre las risas se oían abucheos, silbidos. Alguien gritó una procacidad.

Mercedes se detuvo. Se plantó en jarras y lanzó un insulto al público. Los abucheos ensordecían.

Mercedes bajó del estrado. Se pisó el traje. Estuvo a punto de caer. Al llegar a la mesa donde la esperaban la abuelita y la amiga, se echó a llorar desesperada.

Doña Eloísa temblaba. Miraba a su alrededor. Ya la atención del público se dirigía a un nuevo artista. Nadie les hacía caso.

La amiga de Mercedes procuraba calmarla.

— Has sido muy tonta. No debiste de ponerte nerviosa. Lo has estropeado todo. Vaya, no llores. Afortunadamente eres joven...

— Escríbale a mi marido, doña Eloísa... Me vuelvo...

La anciana tendió en silencio su pañuelo a aquella pobre mujer llorosa. Luego le habló:

— Hija... Eso es una tontería... No tienes ahora más motivos para volverte a tu casa que hace un rato... Esta gente grosera no entiende tu arte, eso es lo que pasa, y nada más... No debes desesperarte.

Mercedes escuchaba... Aquella viejecita era bien extraña.

— ¿A usted le gustó?

— Mucho, hija mía... Tienes mucho talento.

No cabía duda de que doña Eloísa hablaba en serio. Ella no mentía nunca; Mercedes sabía que doña Eloísa no estaba mintiendo... Además hablaba contra ella misma. Un rato antes estuvo haciendo de catequista, y ahora le decía que no debía desanimarse, que era una artista... Desgraciadamente doña Eloísa le parecía a Mercedes muy poco inteligente en esta materia.

— Ahora tranquilízate, toma tu poquito de coñac, y a la cama...

Mercedes, de codos sobre la mesa, se tapó la cara con las manos; aquella cariñosa invitación al descanso la llenó de desolación y le recordó que ella no tenía cama, como no fuese un jergón alquilado en un dormitorio compartido con viejas mendigas. La amiga pareció adivinar sus pensamientos.

—Esta noche te vienes a mi cuarto, chiquita; necesitas descansar... Pero antes vamos a acompañar a esta señora, que seguramente no sabrá volver sola a casita.

CAPÍTULO V

E<small>L</small> padre Jiménez tranquilizó mucho más a Luis y a Lolita que el médico. El médico había sido llamado al día siguiente de la escapada nocturna de la anciana, y dijo que sólo tenía un fuerte catarro y algo de depresión. Preguntado acerca del funcionamiento de las facultades mentales de la señora se mostró muy extrañado. Dijo que le parecía una persona totalmente en sus cabales. Pero Lolita y Luis quedaron igualmente preocupados. Una extraña vergüenza les impedía contar al doctor que la señora había llegado a casa a las dos de la mañana, negándose, además, a contar dónde había estado.

—Sólo lo diré a mi confesor, y si él me lo manda, a vosotros también, si no... Solamente os pido perdón por el susto que os he dado.

La abuelita no salió de casa en ocho días, y en este tiempo toda su familia estuvo pendiente de la vuelta a su convento del padre Jiménez. Al fin llegó, y al fin vino a ver a doña Eloísa, y después de estar encerrado con ella un buen rato, salió sonriente, bailándole en los ojos unas chispitas de ironía.

—Nada, nada, tranquilidad... Doña Eloísa está tan bien de la cabeza como ustedes o como yo... No estoy autorizado a contarles dónde estuvo aquella noche, pero sí puedo decirles que tuvo unas razones altruistas para estar fuera de casa... Hizo una obra de caridad... Quizá mal entendida... Quizás inútil. Pero una obra de caridad al fin. Yo les ruego que no se muestren tan inquietos y que la dejen hacer su vida de siempre... El caso no se repetirá...

—Pero es que hay cosas... Mi niño me contó que, al día siguiente, la abuela le dio una carta, con sellos y todo, y el encargo de echarla al buzón, sin decir una palabra a nadie... Y ayer ha recibido otra, muy extraña, que no nos ha enseñado, y que la ha hecho llorar.

—Estoy enterado, estoy enterado... Nada de eso tiene importancia.

Así, pues, Lolita y Luis no tuvieron más remedio que tranquilizarse y quedarse al mismo tiempo con su curiosidad insatisfecha. La abuelita volvió a sus comuniones diarias, y reapareció su expresión risueña y pacífica. A veces, sin embargo, se le escapaba un suspiro, y entonces la nieta la miraba con inquietud.

La abuelita había recibido contestación a la carta que envió al marido de Mercedes. Escribía el hijo mayor, pues el padre, según contaba este muchacho, "del disgusto se encuentra con una pulmonía". Según contaba el hijo de Mercedes, todos estaban deseando que volviera... "Y bien hemos sufrido recordando que tantas veces nos amenazó con marcharse y no le hicimos caso." El marido comprendía "que ahora estaba ella muy bien con sus parientes ricos de Barcelona", pero le pedía que se acordase de su hija, que ya era una mocita, y "no era decente que estuviese sola en casa, sobre todo por lo que las malas lenguas pudiesen decir"; en cuanto a él, le pedía que le perdonase el genio, pero "que ya sabía ella que en lo principal nunca le faltó", y que no era hombre borracho, como otros, y que ahora se daba cuenta de que cuando ella faltaba "algo faltaba en la casa", y que no se acostumbraba a dormir solo, que "hasta el sueño ha perdido...". Todos esperaban una carta de Mercedes, de su puño y letra, y concluían con la noticia de que la mujer de su hijo la iba a hacer abuela, y que aunque habían tenido sus diferencias, también la nuera comprendía "que Mercedes era una señora y que tenía que tener sus rarezas", y que deseaba que "lo que naciese lo sostuviera ella en la pila bautismal...".

Ésta era la carta que había hecho llorar a la abuelita, y acongojarle el alma, hasta que el padre Jiménez le prohibió estar triste, declarándole que no tenía que tener ninguna clase de remordimientos y que era una bobada pensar que Mercedes hubiera abandonado a su marido por culpa de doña Eloísa, como la pobre anciana, en su angustia, llegaba a temer. Lo peor es que no había medio de enterar a Mercedes de la reacción de su familia, porque Mercedes parecía tragada por la tierra. La anciana no se atrevía ni a nombrarla, por no dar una pista a Lolita, que con su pobreza imaginativa de costumbre, aunque al pronto sospechó algo, concluyó por no relacionar la escapada nocturna de su abuela con aquella extraña tía suya, medio loca... Sin saber cómo, Lolita y Luis habían llegado a la tranquilizadora conclusión de que la abuela pasó su noche misteriosa velando algún difunto pobre de la vecindad. Así pasó cerca de un mes hasta que un domingo por la tarde estando la abuelita sola en casa, con el nietecito más pequeño, llamaron a la puerta y apareció Mercedes con su traje verde rabioso, muy limpio y planchado, el cabello hasta la mitad oscuro, y la cara sin pintar, pero al parecer bien lavada.

Mercedes, después de un largo silencio misterioso, dio una gran noticia. Se había colocado como sirvienta para todo en una casa modesta, donde no la trataban mal.

Al pronto, la abuelita no se dio cuenta de que había ocurrido un milagro, porque siempre tiene uno la idea de que los milagros son cosas complicadas y espectaculares; pero, poco a poco, mientras Mercedes hablaba, la anciana comprendió que quizá no iba ella tan descaminada al pensar en que la Divina Providencia había tenido mucho que ver en aquel asunto, y que ella, doña Eloísa, quizás había sido un humilde instrumento.

Mercedes, al día siguiente de su "debut", y después de pasar la noche en aquel cuarto de pesadilla con la amiga gorda, se enfadó con ella.

—Dijo que no me iba a tener allí toda la vida de balde, y me propuso cosas que ninguna señora puede aceptar... Nos peleamos y se quedó con todo lo mío, menos este traje, que era lo único que yo llevaba puesto cuando salí de allí...

Mercedes pasó toda la mañana vagando por las calles, pero con la cabeza más despejada que en toda su vida. Empezó a pensar y a pensar... Las cosas que la abuelita había dicho de su nieta Lolita la noche anterior le rondaban la cabeza. Se imaginó, por primera vez, que quizá si en aquellos años de su matrimonio había sido tan desgraciada, un poco de culpa tenía ella también. No había procurado que los hijos le dieran alegría, no había pensado en nadie más que en ella misma, había estado embrutecida...

—Pero ahora he vivido. Me he dado cuenta de lo

que es la miseria de verdad. De que no sólo sufro yo, sino también otros... No sé cómo decirle, doña Eloísa, parece que me he vuelto distinta...

Doña Eloísa la miraba. La veía hablar despacio, sin dramatizar, sin mentir... Era, en efecto, otra mujer.

Mercedes tenía un gran remordimiento. El reloj de la abuelita, que ya no se recuperaría.

—Eso fue lo que me dio la idea de ponerme a servir... Mire, yo, usted lo sabe, me he educado en muy buenos pañales... Otras cosas haré, pero robar a quien me ha favorecido... No, eso no lo hago. Usted no se arrepentirá nunca de haber ayudado a Mercedes. Estoy trabajando. Céntimo a céntimo yo ahorraré ese dinero, doña Eloísa...

Como la anciana se pusiese a llorar, Mercedes creyó que era de pena de haber perdido su joya. Pero doña Eloísa, entre lágrimas, se reía como una bendita.

Mercedes no entendió muy bien lo que le dijo la abuelita aquella tarde, porque la pobre señora, con la emoción, decía cosas un poco incoherentes; hablaba de una llamada de Dios al corazón de Mercedes, cosa que a Mercedes le pareció un disparate, pero que no se atrevió a contradecir... Luego le enseñó la carta de su hijo.

—Piénsatelo bien... Ellos no saben tus aventuras. Yo, bien sabe Dios, no mentí en mi carta, pero tampoco les dije nada... Se imaginan que estás muy bien y que si vuelves es por puro cariño... Si todo lo que me has dicho es verdad, y lo mismo que aquí has empezado una nueva vida estás dispuesta a empezarla en tu casa, entonces estás salvada. Ya ves que ellos te quieren... En el reloj no pienses, yo te lo regalé... No he hecho en mi vida mejor regalo. Piensa en reunir dinero para tu vuelta, para adecentarte un poco, para llevar un regalito a tu hija... ¿No te da alegría pensarlo?

Mercedes sentía un gran paz y, sí, alegría... Era como si hubiera estado muy enferma y un medicamento fuerte la hubiera curado. Todo se le volvía de pronto tan natural, tan sencillo, tan limpio... Hasta le parecía que la abuelita hacía demasiados aspavientos. De las dos, ella era la más serena. Esto le daba fuerzas.

Volvió un poco tarde a la casa donde servía y la señora la riñó con aspereza. Ella no replicó una palabra. No habló de su familia rica ni de sus buenos pañales. Nada. Silencio.

Al acostarse aquella noche pensó, con cierta ternura, en su marido, que no podía dormirse, que se encontraba tan solo en la cama... ¡Quién lo hubiera pensado!

Evocó los lechos inhóspitos que había recorrido. Este mismo era incómodo, en comparación con su ancha cama de matrimonio.

—Es por poco tiempo, por poco tiempo —murmuró.

Un ancho camino soleado se le abría en la vida. No pensaba que era el mismo camino que la había llevado al borde de la locura. No pensaba nada.

Medio dormida, tuvo una ocurrencia que le pareció muy feliz.

"No hay nada como viajar, para darse cuenta de las cosas, para conocer la vida."

Y más tarde se le ocurrió la idea de que en una ventana de su casa iba a poner cortinas blancas como las de la galería de Lolita.

Si hubiera podido ver a doña Eloísa, en su reclinatorio, ofreciendo a Dios sin palabras un gozoso Aleluya, Mercedes hubiera sonreído comprensiva. Doña Eloísa era demasiado buena para que uno fuese a desbaratar sus ilusiones explicándole que los milagros no existen... Ella había estado un poco desquiciada. Luego había sufrido espantosamente, y se había curado. Aquel viaje había sido algo así como uno de esos tratamientos que se les hacen a los locos, que o les mata o les cura.

Esto hubiera pensado Mercedes. Y si se lo hubiera explicado a doña Eloísa, la anciana señora hubiera asentido... Y hubiese seguido dando gracias a Dios con el mismo entusiasmo. Porque doña Eloísa y Mercedes tenían una idea distinta de lo que es un milagro. Nada más.

EL ÚLTIMO VERANO

CAPÍTULO PRIMERO

La madre estaba mirando hacia el patio por la ventana de la cocina, cuando Lucas llegó por detrás y la levantó en vilo. Bueno, la alzó apenas un palmo del suelo, porque aunque Lucas era grande, cuadrado y fuerte y su madre muy pequeña de estatura, la señora parecía una bolita, y pesaba lo suyo.

—Mamá.

Doña Pepita sintió una emoción muy grande en la voz del muchachote y aquella emoción se le contagió a ella de manera algo ridícula.

Afortunadamente la cocina estaba a oscuras, tibia y tranquila, sin más claridad que la poca que al atardecer dejaba colarse en un patio, donde muchas cuerdas de ropa con sábanas tendidas, hacían pensar en una exposición de fantasmas. Sobre aquellos fantasmas, muy alto, al filo de la azotea, se veía una franja de cielo donde se fundían suavísimamente rosas y azules y hasta brillaba un lucero de plata.

En la ventanilla se recortaban dos tiestos de geranios floridos, y detrás, alrededor de la madre y del hijo, suaves sombras envolvían el fogón apagado, el fregadero donde brillaban los grifos del agua como dos puntos de oro y la mesa de pino cubierta con un hule brillante, blanco y rojo.

— Hijo..., ¡qué loco eres!... ¿Cómo has venido tan pronto?... Ahora mismo pensaba encender la lumbre para empezar a preparar la cena...

Lucas no hacía caso de aquella charla. Cogió la cabeza de la mujer entre sus manos, la besó en los ojos y luego la oprimió contra sus propios hombros, en un abrazo tierno, durante unos segundos en los que la madre pudo oír latir el corazón del muchacho.

— Mamá, ¿por qué te andas preocupando de estas cosas? ¿No tienes criada?

La criada — lujo que la familia había introducido el invierno anterior — era el orgullo de la casa.

— Sí, tengo criada... pero ha salido, como todas las tardes, a verse con el novio... Buenas andarían las cosas si no me ocupara yo... Pero a ti, ¿qué te pasa hoy?

— ¿A mí?... Nada; no me pasa nada. Pero no me gusta que trabajes. Ya sabes que no te conviene cansarte. Hoy mismo me ha dicho el médico que te debes cuidar mucho.

— ¡Ah!...

No era más que eso. Una exclamación suave, tierna, pero doña Pepita volcó en ella muchas cosas y muchas angustias. Al principio de su enfermedad, cuando se sintió tan mal, había tenido miedo de morir pronto. Después había visto a sus hijos y a su marido tan preocupados, la habían hecho desfilar por tantos especialistas en un mes, que ya sólo tenía miedo de la angustia de ellos.

La idea de la muerte había entrado en ella, la había asimilado, la había aceptado como algo inevitable, casi hermoso, ya que la convertía en aquel centro de interés para todos aquellos hombres suyos, tan queridos. Por fin, la idea de la muerte se había borrado de su

espíritu substituida por el deseo de engañar a los mu-
chachos, al marido. Hasta se encontraba mucho mejor.
Ahora le parecía una bobada haber pensado en morir.
¿Qué harían sin ella aquellos tontos?

—Hazme el favor de no hacer caso al médico.
Estoy mejor. Se puede decir que estoy buena.

—Sí —dijo Lucas.

Recordaba las palabras del especialista:

"Todo depende de lo que tarde en repetirle el ataque. No se confíen ustedes por verla aparentemente
mejorada. No quiero ser pesimista, pero no le doy un
año de vida, aunque siempre cabe pensar en un milagro...".

—Mamá...

Doña Pepita se rehízo.

—Bueno, ya está bien. "Mamá, mamá...". ¡Un
hombre con novia!... Voy a encender la luz. Así...
Déjame que te mire... A ti te pasa algo. ¿Has reñido
con la novia?

Lucas, debajo de la luz amarillenta de la bombilla
recién encendida, tenía un aspecto torpe, fatigado. Puso
una cara de sorpresa un tanto estúpida.

—¡Dios mío!... ¡Si me estará esperando!...

Doña Pepita alzó los brazos.

—¿De modo que te has olvidado de ella?... ¡Vaya
un enamorado! Corre a buscarla... Y no te asombres
mucho si no te espera ya... Estas chicas de ahora no
esperan ni un minuto... Y hacen bien... Yo me pasaba
horas en la ventana... Es un desperdicio de tiempo...
Pero, ¿qué haces que no te marchas?

Lucas sonrió lentamente. Su madre lo había tranquilizado como él quería. Toda la tarde, en las horas
interminables de la oficina, había pensado en ella, en

esta mujer pequeñita, gruesa y bondadosa. Había pensado en su cara fatigada de los últimos tiempos y en las terribles palabras del médico. Pero ahora la encontraba en su cocina, con un delantal muy limpio y coquetón sobre su traje negro, con aquella simpática cara parecida a la de un bulldog que tuviera un carácter alegre, y aquellas manitas gruesas que se agitaban al hablar, llenas de vida.

—Bueno, sí, me voy... A ver si no se ha cansado ya.

—Si no la encuentras, llámala por teléfono y dile una mentira... Una mujer puede perdonarlo todo menos que se olviden de ella por las buenas... Mucho mejor sería que creyese que te ha entretenido otra... Le resultarías más interesante.

Lucas oyó este consejo cuando ganaba ya la puerta de la calle, y le hizo reír, con el corazón aliviado. No era posible que una persona así, como su madre, estuviese condenada a morir en un plazo próximo.

En la escalera tropezó con su hermano pequeño, Luis, que volvía del Instituto. Era un chiquillo de quince años, flacucho y feo, que solía tener un carácter endemoniado. Ahora subía silbando. Sin saber por qué, esto a Lucas le dio rabia. Desapareció su buen humor.

"Vaya, hombre; estás muy contento. Para ti no hay preocupaciones."

Esta reflexión se la hizo Lucas para sí mismo, al tiempo que detenía a su hermano por un brazo.

—Haz el favor de escucharme.

—¿Qué hay? ¡Suéltame!

Luis estaba siempre a la defensiva contra aquel bruto de Lucas. Al oír el tono irritado del hermano, el chiquillo sintió que le latía el corazón desesperada-

mente. Se había fumado las clases aquella tarde para
irse al cine con una panda de vagos, y lo primero que
se le ocurrió pensar es que Lucas lo sabía.

Engalló la cabeza.

—¿Qué pasa?

—Pasa... pues que el médico me ha dicho esta
tarde que mamá no tiene remedio, para que te enteres.
Que se muere cualquier día.

Luis quedó silencioso. Ofendido, sin saber por qué,
de que su hermano le dijera aquello allí, en mitad de
la escalera oscura, y como acusándole. Pero no sabía
qué decir ni qué replicar. Le salió una voz llena de
gallos.

—¿Ella lo sabe?

—¡No!... Y que no se te ocurra dárselo a entender
por nada del mundo, ¿me oyes?... Pero papá ya está
enterado y ya puedes comprender lo desesperado que
está. Y esta noche, cuando venga Roberto y Lolita se
lo diremos...

—Y ¿cómo se lo vais a decir... sin que se entere ella?

Luis estaba asustado de pronto. El tono entre los
hermanos empezó a hacerse cordial.

—Ya buscaremos la manera. Y si no podemos, mañana iré yo a su casa.

"De todas maneras, para enterarse de cosas des-
agradables siempre hay tiempo", pensó Luis, siempre
rebelde; pero no se atrevió a decirlo.

—Bueno —Lucas se había descargado de su peso
y ahora le daba cierta pena la cara de pájaro de su hermano, que atisbaba entre las sombras —; tú, ahora, ve
con ella...

Luis empezó a silbar de nuevo, distraído y tristón,
mientras seguía subiendo los pocos tramos que le sepa-

raban del piso. Él no tenía llave, de modo que doña
Pepita le abrió la puerta.

—Aquí está mi pequeño... y seguramente con hambre, después de estas barbaridades que le hacen estudiar en el Instituto... Te voy a preparar un bocadillo.

Luis no contestó ni tampoco dio un beso a su madre, porque esas expansiones le parecían bobas tenien-
do ya quince años y pantalón largo, pero sintió que se
le formaba un extraño nudo en la garganta, precisamente porque su madre no estaba ni más ni menos cariñosa que todos los días, ni él tampoco.

La siguió a la cocina, que estaba alegre ahora, iluminada, íntima. Doña Pepita empezó a cortar un buen
trozo de pan. Luis recordó, de pronto, que hacía poco
tiempo, cuando el pan casi era un lujo, la madre decía
que estaba demasiado gorda y que tenía que hacer régimen para adelgazar, y con este pretexto no lo pro-
baba. Era para guardárselo a ellos. Luis lo supo en este
momento. Y le pareció asombroso haber aceptado antes,
sin fijarse, este sacrificio. Hizo un gesto con la mano.

—No tengo gana.

Doña Pepita le miró asombrada.

—¿Te sientes mal? ¡Son esos dichosos exámenes que
se acercan!... Pero debes comer.

Le miraba preocupada. No había seres más distin-
tos que aquella madre pequeñita y gruesa y aquel hijo
flaco como una espiga, pálido y de gran nariz aguileña.
A este hijo, doña Pepita no sabía entenderlo tan bien
como a los otros, pero quizá por eso, o por ser el más
pequeño, le quería más; aunque él no era cariñoso ni
alegre como habían sido los otros chicarrones. Siempre
parecía insatisfecho por algo y a ella le daba pena. Aho-

ra se había sentado y había apoyado los codos sobre la mesa de la cocina, cogiéndole la cara con las manos.

— Debes comer, ¿me entiendes?... Hoy cenamos tarde, ya lo sabes... Es sábado.

Los sábados venía el hermano casado, con su mujer, y todo se trastornaba. Luis lo sabía.

— Comeré... Pero haz el favor de no atarearte tanto por esa idiota de Lolita.

— Niño... Lolita no es idiota. Tu hermano la quiere. A mí me encanta prepararles una buena cena.

— A ti te encanta molestarte por todo el mundo. Te has puesto enferma de eso. De hacer más de lo que puedes.

— No hijo... Cada uno hacemos lo nuestro. Tú estudias, tus hermanos y tu padre trabajan... Yo me ocupo de la casa. No tiene nada de extraordinario.

Como la madre, después de haber preparado el bocadillo, se había vuelto de espaldas para empezar a encender la lumbre, no pudo ver que Luis se había sonrojado ante la gratuita y cariñosa afirmación: "Tú estudias."

Luis veía la pequeña y redondeada figura, inclinada sobre la llama que acababa de prender, echando poco a poco, con pulcritud y meticulosidad, el carbón necesario.

— Mamá, ¿no tienes ningún deseo, no hay nada que te guste mucho hacer y que no hayas hecho nunca?

La madre se volvió sonriendo.

— Sí, hijo; ya lo creo... Por ejemplo, me gustaría veranear. No he podido hacerlo nunca...

— ¿Nunca?

— No... Pero es que yo quiero veranear a lo grande, ¿sabes? Un verano en San Sebastián, con tu padre,

bien equipados los dos, en un buen hotel... Desde que
nos casamos pienso en eso... Ver a la gente elegante
en su salsa... Sentarme en las terrazas de los mejores
cafés...

— Eso es una tontería, mamá.

La señora se puso colorada.

— Sí, hijo, ya lo sé — dijo con sencillez.

CAPÍTULO II

Luis estaba de un humor muy malo aquella noche. La conversación con su madre, interrumpida por la llegada de Juanita, la sirvienta, le dejó unos remordimientos negros que no se podía quitar de encima.

Desde la boda de Roberto, el hermano mayor, Luis disfrutaba de un cuartito independiente en la casa. Tenía allí una mesa para estudiar y en la mesa un misterioso cajón que Luis había provisto de una magnífica cerradura. Cuando aquella innovación, Lucas protestó.

—En esta casa no hay ladrones. Las cosas tienen que estar abiertas. Yo no he cerrado nunca mis cosas. El que algo oculta, algo malo se trae entre manos.

La madre y el padre se miraron. El padre tosió, pero antes de que abriese la boca, la madre dijo con naturalidad:

—Luis es distinto de nosotros. A él no le gusta que veamos sus poesías, ni nada de lo que hace. Y estoy segura de que no va a guardar nada malo con su llave. Si es feliz así, yo creo que no debemos estorbarle. Cada uno es como es.

"Cada uno es como es."

Eso es lo que había dicho su madre, aquella mujer vulgar y bondadosa, en la ocasión que a Luis se le antojaba la más importante de su vida familiar. Y Luis sabía que era la madre la que más sentía no poder fisgar entre sus papeles. No poder coger en secreto aquellos papeluchos que él emborronaba y leérselos, inflamada de orgullo, a algunas de las ridículas y bondadosas señoras que la visitaban.

—Desde luego hacéis bien en sacrificaros por darle una carrera. El chico vale, hija mía.

Luis había oído este comentario algunas veces, y también algún bondadoso:

—Vaya, vaya, aquí está el poeta... No te pongas colorado, que un pajarito nos ha dicho que haces versos...

Luis odiaba de todo corazón a aquellas entrometidas, se desesperaba contra su madre y hasta deseaba a veces no haber nacido. Y lo que es peor: lo decía. Sin embargo, cuando llegó la ocasión la madre había defendido su cerradura, su independencia incomprensible para ella. ¿Y cómo le había pagado él, Luis, cuando, emocionado al saber que su madre estaba condenada a muerte, le había preguntado por su mayor deseo?

"Eso es una tontería, mamá."

Seguía pareciéndole una tontería inaudita aquel sueño de elegancias y frivolidad en una pobre señora como su madre, pero la había herido. No había sabido pensar como ella: "Cada uno es como es". Estas cosas atormentaban al muchacho, que se había refugiado en su rincón, esperando la cena.

Tenía la lámpara encendida sobre la mesa del cajón con cerradura; tenía un grueso libro de texto abierto por la mitad, pero no leía ni una línea, atento a sus pensamientos, y al mismo tiempo a los ruidos que se producían en el pequeño piso.

La voz de la criada lo traspasaba todo, hablando a gritos, contestando con intemperancia a las inaudibles observaciones de doña Pepita, o cantando desaforadamente. La vida de Juanita parecía ser un desafío continuo no se sabía a quién, en verdad, porque nadie solía atacarla No se había conseguido nunca que dijese "señor", "señora", "señorito". Decía que la familia no tenía categoría para eso. A todos y cada uno les llamaba de usted, y lanzaba el "usted" como si fuese un nombre propio muy desagradable de pronunciar.

— "Usted" —le decía a don Roberto, el padre—, que dice doña Pepita que vaya.

A Luis le tuteaba por las buenas, cosa que al muchacho le ponía negro. Pero así era Juanita, y así había que tomarla, porque decía doña Pepita que en estos tiempos pocas se encontraban como ella, tan buena, limpia y honrada.

Luis oyó llegar a su padre, y le sintió andar en la alcoba cercana.

"Ahora está cambiando sus zapatos por las zapatillas de casa", pensó.

En la cara del muchacho, iluminada por la luz de la lámpara, se dibujó una sonrisa de ironía. Sabía que su padre se encontraba como desplazado desde la aparición de la criada. Antes, cuando llegaba de la calle, se refugiaba en la amable cocina para leer el periódico. Ahora se iba al comedor solo. Menos mal que había venido el verano, y en el comedor se estaba bien. Durante todo el invierno aquella habitación era una nevera, y don Roberto había pescado más de un catarro.

Aquella noche no estuvo solitario mucho tiempo. En seguida se oyeron las voces del hermano mayor y de su mujer, Lolita, tan chillona y metomentodo como siempre. Luis se tapó las orejas en cuanto sintió a su cuñada, y allí, en la soledad de su cuarto, le sacó la lengua. Las voces bajaron de tono; parecían ahora cuchicheos. El corazón de Luis latió de desagrado.

"Ahora estará papá contándoles que los médicos han desahuciado a mamá."

Las flacas manos del muchacho, nerviosas, inquietas, tropezaron con la complicada cerradura de su cajón, y empezó a acariciarla. En seguida tuvo afán de mirar sus tesoros ocultos. Aquello era un delicioso entretenimiento que se concedía muchas veces.

Se levantó antes, con cuidado, para cerrar con pestillo la puerta de la habitación, y por fin el cajón le mostró, como siempre, su interior abarrotado de papeles. Versos muy románticos se almacenaban allí, pero también otras cosas. Una novelucha pornográfica, cuyas ilustraciones hubieran hecho morir de horror a doña Pepita, se escondía entre inocentes novelas de aventuras, cuya lectura le estaba prohibida por su hermano Lucas durante los meses del curso escolar.

Y en una cajita cerrada con otra llave, el secreto más grave de Luis: una importante cantidad de dinero. Este dinero lo destinaba a comprarse una buena bicicleta. Este deseo de la bicicleta, hasta pocos meses antes, se le antojó fabuloso, porque Luis sólo tenía como asignación los céntimos que le costaba el metro para llegar al Instituto, aparte del cine de los domingos, que al llegar la época de exámenes, por consejo del ahorrativo Lucas, se le suprimía. Sin embargo, algún tiempo atrás había descubierto una mina extraña para sacar dinero. Hizo de "extra" en una película durante varios días. Le llevó a eso un compañero de clase cuyo tío era actor de cine. Luis falsificó un permiso de su padre, y había vuelto a tener aquella ocasión hacía poco tiempo. Ya tenía la mitad del precio de la bicicleta en su cajita. No pensaba aún cómo iba a explicar la presencia del vehículo en su casa. Ahora sólo le importaba conseguir el dinero necesario para comprarlo.

Lo malo era que con todos esos asuntos los estudios iban mal. A veces el muchacho se sentía oprimido por una espantosa sensación de angustia. ¿Qué pasaría en su casa si resultase que tuviera que repetir el curso entero? Tampoco esto quería pensarlo.

Ninguno de sus hermanos había estudiado. Sus padres no habían podido permitirse el lujo de costearles un bachillerato y una carrera como iban a hacer con él, gracias, en parte, a los esfuerzos de los dos hijos mayores.

"¿Por qué me ha caído a mí esta china?", pensaba a veces Luis. "A mi edad, mi hermano Roberto era botones de un Banco, ahora está empleado con muy buen sueldo; hasta ha podido casarse y no tiene más que veinticinco años. A mí también me hubiera gustado estar trabajando ahora."

No era verdad lo que él mismo se decía en sus horas negras. Cuando se metía en ello le gustaba estudiar y saber cosas. Se creía muy instruido e infinitamente superior a la familia.

Ahora contó los billetes guardados, con la misma complacencia que otros días. Debajo de los billetes, en el fondo de la cajita, había aún otra cosa. Un pequeño devocionario blanco, muy usado. Era un recuerdo de su primera comunión. Esto no había por qué guardarlo con tantas precauciones. Su madre, que era muy piadosa, se habría conmovido si supiese este detalle de su pequeño, y a su madre y a sus hermanos les habría parecido bien.

Pero daba la casualidad que a Luis el cariño hacia este pequeño libro de oraciones le daba más vergüenza que todas sus diabluras juntas.

En confianza, con los amigos del Instituto, se declaraba "librepensador", lo que causaba admiración a aquellos chicos. En casa no decía nada, y acudía a Misa cada domingo, sintiendo sobre su nuca la mano firme de don Roberto, pero ponía la cara más aburrida posible, y alguna vez que otra murmuraba:

— Yo no soy una vieja beata.

Ahora, después de contar los billetes, hojeó el libro con una sonrisa. El día de su primera comunión, él, que tenía ocho años, había sido un niñito feo e inocente, muy feliz con su traje de marinero nuevo. Muy feliz también, por algo más, algo hondo, incomprensible, que había perdido luego y que había hecho exclamar a su madre al verle comulgar:

— Te digo, Roberto, que ese niño es un santo.

Ahora el librito había perdido casi todo su significado para el librepensador Luis, que, sin embargo, lo guardaba entre sus tesoros. Tropezó con un título, al repasar el devocionario: "Oración para pedir una buena muerte". Se quedó unos segundos contemplando las letras de este título, con una atención tan grande que hasta abría la boca, con un gesto de desamparo y atontamiento. Muchos pensamientos hondos, confusos, luchaban por perfilarse en su cerebro. No sabía lo que le pasaba.

A media voz murmuró que la muerte es siempre desagradable, nunca buena; mientras algo dentro de él sabía que la muerte más horrible puede ser buena si el que la sufre tiene los ojos del alma más allá de ella, hacia la eterna vida, hacia el eterno, infinito amor.

Golpeaban a la puerta. Ahora era Lucas.

— ¿Quieres hacer el favor de venir o quieres que eche la puerta abajo?

— ¡Ya voy!... ¿O es que no sabes esperar un momento?

— Abre en seguida. ¿Qué demonios estás haciendo?

— Hago lo que me da la gana. Ya voy.

Apresuradamente los tesoros desaparecieron en el cajón. Sin darse cuenta de por qué lo hacía, Luis se miró al espejo de su armario antes de abrir la puerta. Se atusó el cabello nerviosamente, como si hubiera estado luchando con algo, allí, en la intimidad de su alcoba, y no quisiera que los demás se diesen cuenta de esa lucha.

Toda la familia estaba reunida ya en el comedor, que era una habitación amueblada con mal gusto, muy pretenciosa y pulida, y donde todos se sentían incómodos, porque el tamaño de los muebles era desproporcionado a las dimensiones del cuarto. Luis echó una ojeada a sus parientes. Roberto y Lolita sonreían bobamente, en el séptimo cielo, y doña Pepita sonreía también mirándolos. El padre parecía apagado. Lucas, de mal humor.

— Hay que brindar — propuso Roberto llenando los vasos de vino —. Hay que brindar por... Luis.

Luis le correspondió con una mirada sombría. Su hermano mayor, con su cara ancha y simpática, muy bien afeitada, y sus cabellos rizados, le pareció un perfecto tonto.

— ¿Brindar por mí? No viene a cuento.

— Sí, hombre — ahora era Lolita, la cuñada, quien

parecía rebosante de jovialidad —; por ti, como personaje importante que eres ya... futuro tío.

Luis emitió una especie de gruñido. Lolita, Roberto y la madre se rieron encantados, y la sirvienta apareció llevando una fuente en la mano, gritando enhorabuenas.

—No se han descuidado ustedes, caramba. Así se hacen las cosas... Sírvase usted la primera, doña Lola, que ahora es usted dos.

Juanita, la sirvienta, era alta, flaca, muy pintada, y siempre producía una impresión de espanto cuando hablaba. Quizá más impresión de espanto cuando rebosaba buen humor, como ahora, que —como sucedía casi siempre— cuando se sentía enfurecida.

—La señora servirá los platos, como siempre.

Esta observación venía de don Roberto. Salió con rara firmeza de debajo de su gran bigote entrecano, y la criada, que inclinaba ya hacia Lolita la enorme fuente de ensaladilla rusa, acusó en seguida la ofensa, con un gesto seco y despreciativo. Soltó el plato junto a doña Pepita, con tal sequedad, que estuvo a punto de romperse.

—Hagan lo que les dé la gana. Así le pagan a una el interés que se toma.

Después de esta réplica salió victoriosa, dejándolos a todos callados; y a poco, mientras doña Pepita, con una azorada sonrisa de disculpa, servía a su nuera, se la oyó cantar a pleno pulmón en la cocina.

—Gracias a Dios nosotros no tenemos criada —comentó Roberto.

—Estaría bueno —se animó Lolita— en una casa donde hay tres mujeres... Es ideal que vivamos con mi madre y mi hermana. Así yo puedo ir a la oficina...

Y, ¿sabéis?, estamos ahorrando para cuando nos den el mes de vacaciones tener un buen veraneo. A mí me gustaría ir a algún sitio divertido, donde haya mucha gente... Y dice Roberto que al niño le convendrá que yo me distraiga, y que si no aprovechamos este año quizá no podamos hacerlo nunca... ¿Qué te parece, mamá?

— Me parece muy bien. Eso he tenido ganas de hacerlo yo siempre... Antes se lo decía a Luis.

Luis, que comía con la cabeza inclinada sobre el plato, se conmovió de pronto. Se puso encarnado.

— Mamá debería ir a San Sebastián este año. Es lo que ha soñado siempre... Debería irse cuando a papá le den las vacaciones. Los dos juntos, a un buen hotel... sin preocupaciones de ninguna clase. Juanita cuidaría de Lucas y de mí; después de todo ya no tomamos biberón.

Se hizo un silencio en la mesa. Un silencio muy grande. Hasta Juanita había dejado de cantar en la cercana cocina, como si también ella estuviese escuchando. A Roberto y a Lolita, de asombro, se les había cuajado la sonrisa de los labios. Lucas apoyó inesperadamente con toda su gravedad.

— Sí, eso deberían hacer los padres este año.

Doña Pepita estaba conmovida, y movía la cabeza sonriente...

— Pero, ¡Dios mío, Roberto, qué niños más locos tengo!... De Luis no me extraña; pero tú, Lucas, hijito, ya sabes que eso cuesta demasiado, que no es posible... Tu padre y yo nunca pudimos ahorrar. Nos cogió la guerra con niños pequeños... Bueno, ¡bah!, no seáis disparatados.

— Como gustarme, a mí me gustaría — dijo don

Roberto, despacio —. Quizá pudiera pedir un préstamo...

—¿Un préstamo?

Roberto, el hijo, estaba espantado.

—Hay ocasiones en la vida en que pedir un préstamo puede ser conveniente... No creo que me lo negaran donde trabajo... Aunque poca cantidad me darían; claro está, a descontar de mi sueldo.

—Pero, Roberto... no te entiendo. No creo que sea tan urgente este veraneo nuestro; podíamos pensarlo para dentro de dos o tres años... no sé. Hoy me parecéis trastornados...

—No, mamá, este año — dijo Luis, impulsivo.

La madre los miró a todos. Vio la cara de Lucas; aquella cara en la que ella leía como en un libro abierto. Vio cómo subía a las facciones de su hijo una angustia que las empañaba, mientras repetía la frase de su hermano pequeño:

—Este año, mamá.

Entonces doña Pepita sintió que una pena grande se le disolvía a ella en la sangre; pena y ternura por todos ellos. Comprendió que todos pensaban que aquel era su último verano. Todos menos Roberto y Lolita. Le latía el corazón de un modo doloroso. Le temblaban las manos y tuvo cuidado de ocultarlas debajo de la servilleta. Sabía que tenía que decirles algo, porque todos, todos la miraban. Y ella tenía muchas cosas que decirles, muchas, pero no podía...

Fue un segundo que estuvo sin sonreír, con los ojos empañados. En seguida recobró su aspecto de *bulldog* alegre.

—Hijos; estoy conmovida... Desde luego que sí, me encantará hacer esa locura... si es posible. Pero si no puede ser no os disgustéis. No es tan importante realizar caprichos cuando todo lo demás está bien.

—Pero también es bueno realizar algún capricho.

Esto lo dijo Luis a manera de conclusión, en el momento en que Juanita entraba con el segundo plato... Y por cierto que tuvo que volvérselo a llevar a la cocina, porque casi ningún miembro de la familia había empezado aún el primero.

CAPÍTULO III

Lucas se empeñó en acompañar a Roberto y a Lolita aquella noche, cuando se despidieron. Lolita hizo un guiño semipicaresco, con mucho disimulo, dirigido sólo a su marido. Lolita tenía la sospecha — muy agradable pero totalmente inexacta — de que ella le gustaba mucho a Lucas. Sin traspasar los límites de lo correcto, claro está, pero... Le parecía a ella que Lucas lamentó siempre haberla conocido ya como novia de Roberto. Esta sospecha se la había comunicado en dos o tres ocasiones a Roberto. A éste no le parecía descaminada y hasta le producía cierto orgullo. Delante de Lucas trataba a su mujer con una exhibición de su cariño, tan ostentosa que Lucas, totalmente ajeno a los pensamientos de su hermano, pensó y dijo muchas veces que tenían una luna de miel empalagosa.

—Ya verás lo que es esto, si llegas a tener la suerte de pescar una mujercita parecida a Lola.

"¡Parecida a Lola! ¡Dios me guarde!" Ésta era la instintiva respuesta de Lucas. Pero, naturalmente, jamás la expresó en voz alta, y el equívoco seguía, animando la vida del joven matrimonio. Últimamente a los oídos de Lolita había llegado la noticia de que Lucas tenía novia, y ella se moría de ganas de conocerla; pero aquel noviazgo no se había formalizado aún y nadie había visto todavía al "misterioso amor de Lucas", como decía Lolita.

Era bastante tarde, y la ciudad parecía apaciguada después del trajín del día. Hacía fresco a aquella hora. De cuando en cuando un farol iluminaba la copa de un árbol cuyas hojas aún conservaban un verde tierno, primaveral, y descansaba los ojos este verdor iluminado.

Lolita iba, muy contenta, entre aquellos dos hombres guapos y fornidos. Se sentía, a un tiempo, muy importante y muy pequeña; delicada y mimada como una princesa. Una sensación que la hacía andar a brincos, como un pajarillo. También tenía carilla de pájaro, aguda y "repipí".

Iban los tres andando despacio, en plan de paseo. La casa del matrimonio no estaba lejos. Iban llegando a ella cuando Lucas se decidió.

—He venido con vosotros, porque tengo algo importante que deciros. Creí que papá lo haría, pero os adelantasteis con la noticia del niño y no se atrevió...

—¿A que te vas a casar tú también?...

Lucas, exasperado, pensó, como tantas otras veces, en la paciencia de su hermano, al aguantar a semejante idiota.

—No; es algo mucho peor... El especialista ha desahuciado a mamá. No le da un año de vida.

Lolita se paró en seco, con los ojos abiertos, muy dramática, ahogando un gritito con la mano.

—¡Dios mío!... ¿Qué dices?... ¡Si hoy la estuve felicitando por su buen aspecto!...

Roberto y Lucas también se detuvieron. Roberto había esbozado un gesto de protección a su mujer... Precisamente, aquella misma mañana su suegra le había advertido sobre los muchos cuidados que el estado de Lolita requería. El enfado contra Lucas por decir a su mujer, sin ninguna clase de preparación, algo tan tremendo, le hizo olvidar por unos segundos el sentido de las palabras de su hermano. Luego se emocionó de veras, angustiosamente, porque quería mucho a su madre.

—Comprenderás que si no, ni a Luis, ni a mí, ni a papá se nos hubiera ocurrido lo del veraneo en San Sebastián... Ha sido una buena idea de Luis; porque mamá, la pobre, no ha hecho más que sacrificarse por todos; jamás tuvo una distracción...

—No exageres. Mamá ha sido feliz.

—Pero nos corresponde a nosotros darle ese gusto.

Roberto se cogió del brazo de Lolita, callado, mientras empezaban a andar de nuevo.

—Todo el rato, desde que Luis lo dijo en la mesa, he estado pensando en eso... Llevo muchos días preocupado por mamá, y pensando y recordando cómo ha sido, toda la vida, para nosotros; y cuando Luis dijo lo del veraneo, comprendí que tenía razón, que hay que procurarle ese gusto, cueste lo que cueste...

—Eso es una locura. Si mamá está tan enferma, papá puede necesitar un préstamo para algo más importante que un veraneo.

—Mamá tiene tres hijos...

—¿Y qué?... Me vas a decir cómo va Luis a contribuir al veraneo... Tú tienes bien poco, y yo bien sabe Dios que no puedo, y menos ahora que...

—Nosotros no podemos...

—Ya he oído a tu marido... Sin embargo espero que lo piense un poco antes de negarse a ayudarnos. Buenas noches.

Así, en seco. Furioso.

Esto no iba bien con el carácter de Lucas. Esta despedida brutal, sin darles la mano, echando a correr... Lolita empezó a llorar.

Roberto pasó el brazo por sus hombros. Le salió una voz extraña.

—Vamos...

A Lucas le temblaba la mano al meter la llave en la cerradura del portal.

Lolita vivía en una casa antigua, como la de los padres de Roberto. La escalera era oscura, no había ascensor. Y era una suerte que la madre de Lolita pudiera tener con ella al matrimonio joven. Nunca se hubieran podido casar, con la escasez y los precios de los pisos nuevos, si no hubiese sido por esta circunstancia. Subían los dos muy despacio.

—No llores, mujer... No lo puedo sufrir.

Lolita, en la oscuridad, redobló el llanto.

—Se va a despertar tu madre al oírte... Va a haber una escena...

Lolita procuró calmarse, y su marido, a tientas, le limpió las lágrimas, con su propio pañuelo, antes de entrar en el piso.

Un aire cálido les dio en la cara cuando entraron. El piso guardaba el calor del día, los olores de la cocina estancados. Detrás de una puerta se oían los ronquidos de la madre y la hermana de Lolita.

El cuarto de ellos era el mejor de la casa, con balcón a la calle. La única habitación capaz de contener los muebles de la pomposa alcoba nueva de los recién casados. Los muebles, al encenderse la luz de la lámpara, brillaron con las mil aguas de su chapeado. Sobre la mesilla de noche de Roberto se veía una gran fotografía de Lolita, tan retocada que no parecía ella. Sobre la mesilla de noche de Lolita, otra gran fotografía de Roberto, tan espantado que parecía tonto.

Roberto, de carne y hueso, tenía la cara cansada a aquella luz cruda. Una cara tan cansada y tan triste, que Lolita no se atrevió a reñirle por sentarse en la cama, sin miramientos hacia la colcha de seda, para quitarse los zapatos.

Lolita se había tranquilizado completamente. Entrar en su alcoba la tranquilizaba, le daba seguridad en sí misma. Aquella alcoba le recordaba muchas cosas, le daba la sensación de una plenitud de dicha increíble.

Durante su noviazgo había sufrido infinidad de sobresaltos. Roberto era guapo.

—Vale mucho más que tú, ten cuidado —le advertían las amigas, envidiosas de su suerte.

Y Lolita tenía cuidado. Siete años de noviazgo, desde que Roberto y ella eran dos chiquillos, sin un disgusto. Hasta su propia madre, recelosa al principio, había tenido que reconocer que Roberto era una perla, un muchacho de esos "que ya no se encuentran" y que por rara y misteriosa casualidad había venido a caer en los brazos de la más fea de sus hijas; mientras que la mayor iba para solterona sin vocación y sin esperanzas. Y luego, al casarse, demostró ser tan considerado y atento, se adaptó en seguida a las costumbres de aquellas mujeres, y estaba tan ilusionado con la esperanza del niño... La vida era divina.

—¡Roberto!

Fue como un grito de sobresalto. Roberto, aún sin desvestir, se volvió asombrado. Su mujer estaba en combinación, con la cara brillante de crema.

—Roberto... Me estaba fijando en la alcoba. No vamos a tener sitio para la cuna.

—¿Qué cuna?

—La del niño...

Roberto contestó con un desabrido:

—Hay tiempo para preocuparse de eso.

Lolita optó por no insistir. Desde luego, que le digan a uno que su madre se va a morir no es nada agradable. Se sintió generosa y lo perdonó de nuevo. Ya acostados se sobresaltó, sin embargo, porque le oyó decir algo inaudito.

—Loli... ¿A ti te importaría mucho renunciar al veraneo de este año?...

—¿Adónde vas a parar?...

—Pensaba... que si es el último verano de mi madre y nosotros somos jóvenes...

Lolita volvió a llorar, como hacía un rato. Hablaba gimiendo.

—Si tú te crees que pienso en mí sola... Todo el año trabajando... y para colmo el embarazo... Y para el niño, tú mismo dices que es necesario el que yo me distraiga... Si tú eres capaz de pensar en tu hijo...

Roberto suspiró, vencido. Sabía que Lolita era capaz de seguir así toda la noche.

—Tienes razón. No hablemos más de esto... Nosotros no podemos ayudarles, bien claro se lo dije a Lucas. Duérmete, tranquilízate. No te vayas a poner mala tú también.

Se dieron la mano, infantilmente, bajo las sábanas. La mano de Roberto, ancha, fuerte, envolvía y comunicaba su calor a la mano suave, un poco húmeda, de Lolita. Este contacto era muy dulce, y a poco, la mujer dormía. Roberto tenía los ojos abiertos. En el techo se reflejaba un filo de luz, desde un farol de la calle.

"Tienes razón Lolita. Mi madre diría siempre que

ella tiene razón... Pero en el caso contrario mi madre se sacrificaría. Estoy seguro."

Tenía el corazón oprimido. Aquel corazón suyo, tan dulcemente moldeado por su madre. Sentía doloridos los ojos, y la boca amarga. Y de ninguna manera aborrecía a Lolita, dormida e indefensa a su lado; pero sí comenzó a aborrecer, incomprensible y furiosamente, al gran retrato de Lolita cuyo marco brillaba sobre la mesilla en aquella semioscuridad.

CAPÍTULO IV

Lucas, al doblar la esquina de la calle donde vivía su hermano, ya estaba arrepentido de su arrebato. Se apoyó contra la pared un momento, cansado.

"He tenido hoy un día de perros, todo me sale mal."

Estaba en una calle ancha, con árboles, que dejaba ver un cielo alto, deslumbrante. Un olor fresco, venido milagrosamente de la lejana serranía, volvía puro el asfalto... Un gran silencio, un bendito silencio, llenaba el mundo. Lucas hubiera querido tomar un poco de vino para animarse, pero ya las tabernas estaban cerradas por allí y las ventanas de las casas sin luz. Sólo brillaban las estrellas. Era como estar solo en la tierra estar allí. Era como una noche del campo, en vacaciones, aquella noche.

"¡Dios mío! —suspiró Lucas en voz alta—. ¡Dios mío!"

En el gran silencio Dios parecía escuchar.

Lucas empezó a sentirse menos desgraciado. Caminaba lentamente por aquella larga calle vacía, mirando, fascinado, la pedrería del cielo.

Aquella mañana había recibido el disgusto más grande de su vida en casa del médico; el día de trabajo se le había hecho mortalmente largo; pensando en su madre había olvidado a la novia y había reñido con ella un rato más tarde, como era de esperar; y por último lo de Roberto... Ni siquiera le había dejado explicarse. Había sentido una ira incontenible al sentirle tan ajeno a sus angustias, a sus proyectos... Y después de todo, la reacción de su hermano era natural. Roberto no podía, estaba casado; no era ningún millonario sino un pobre muchacho modesto y ahorrativo como él mismo... Si tenía sus proyectos de veraneo con pretensiones se debía en gran parte a que Lolita también ganaba un sueldo... Además, le había cogido de sorpresa.

Lucas sabía que Roberto quería tanto a la madre como él mismo. Luis ya era distinto; un chiquillo raro, distinto hasta en el físico de ellos dos. Había nacido a raíz de los sustos y las hambres de la guerra, después de dos niñas que no se lograron, y era un ser aparte en la casa. Nunca parecía tenerle cariño a nadie aquel muchacho. Sin embargo, era inquietantemente listo. De él había salido la idea de que el último verano de la madre debía ser un verano muy hermoso, lleno de ilusión. Un verano distinto a todos...

A Lucas no se le hubiera ocurrido esto... no era extraño que Roberto tampoco lo pensase por él mismo. Había que darle tiempo a reflexionar.

—Mañana voy a buscar a Roberto y le convenzo de que me ayude... No, mañana estará pegado a las faldas de Lolita... Iré el lunes, a la salida del trabajo.

Este pensamiento le confortó. Sabía que Roberto no le guardaría rencor. Siempre habían estado muy unidos los dos hermanos. Quizá a estas horas Roberto no pudiera dormir pensando en la brusquedad asombrosa de Lucas.

"Me he portado como un bruto, pero..."

Siempre hay un pero en la vida y en las acciones de los hombres, un chorrillo de amargura que va llenando el corazón hasta los bordes, y de pronto, una gota de nada, una vacilación, una torpeza sin importancia lo hace rebosar. Lo malo es que estas cosas son inexplicables.

Él no le podía contar a Roberto que aquella tarde había sufrido más de lo que un hombre normal puede aguantar, y que sus empalagos y bromas con Lolita le parecían inaguantables, después de haber perdido a su novia tontamente, y que el conjunto de todo esto le puso de aquel humor negro.

No había sido lo peor el que su novia, María Pilar, una chiquilla modista, no le hubiese esperado a la salida del taller cuando él fue a buscarla. Lo malo había sido llegarse a casa de ella y no encontrarla; pero sobre todo encontrar allí a su madre.

Lucas no había subido nunca a casa de María Pilar; la muchacha no quería.

—Más adelante, cuando lo nuestro sea más formal... Te advierto que mis padres no te van a gustar. Tú estás acostumbrado a mayores finuras y mis padres son gentes bastas... Mi padre es hombre de buen humor, y todavía puede pasar, pero mi madre parece un guardia civil y gasta mal genio. Tú deja estar eso de las formalidades para más adelante.

Sin embargo aquella tarde Lucas había subido al pequeño entresuelo donde vivían los padres de su novia y sus seis hermanos, y conoció a aquella mujerona desastrada y sucia, con un poblado bigote gris, que seguramente era lo que sugería a María Pilar aquello del parecido con un guardia civil. La buena señora había

acogido las disculpas del muchacho muy destemplada-
mente.

—Pues, hijo, yo no sé dónde estará la buena pieza
de mi hija. Se habrá ido con otro al cine, que pretendientes le sobran y no está la muchacha para perder
el tiempo con niños preocupados de su mamá... ¡Si es
verdad ese cuento de su mamaíta que dice usted!...

Lucas, enrojecido, molestísimo, estaba sentado en
una habitación, medio alcoba medio taller de costura,
escuchando a aquella mujer.

—Sí, señora, es verdad; usted dígaselo.

—Por mí... Pero no crea que mi hija se chupa el
dedo.

Aquella habitación era desesperante, ahogada, sin
ventilar. La mujer le miraba con unos ojos duros, ahogados en grasa. Quizá en un tiempo aquellos ojos fueron como los de María Pilar, brillantes, pícaros e inocentes a un tiempo sobre las mejillas llenas y rosadas
como las manzanas. Y sería posible que María Pilar,
un día, tuviese esa facha monstruosa, ese brutal abandono de su madre.

—Y usted, ¿es que piensa casarse con mi hija?

Esto se lo preguntó a bocajarro, cuando él se disponía a marcharse.

—Eso pienso —dijo Lucas con valor.

—¿Y cuánto gana?

Lucas dijo lo que ganaba.

—Es poco. Cualquier obrero gana más, si es especialista, y no tiene que gastar tanto en ropas ni requi-
lorios. Y encima su distinguida mamá mirará por encima del hombro a mi hija, que ya sé yo cómo las
gastan ustedes, los señoritos muertos de hambre. Pretendientes mejor plantados que usted, y con más aten-

ción por la novia, tiene María Pilar, para que usted se entere.

Lucas no podía más. Sentía que le estaba quedando apretado su cuello duro. Sentía que sudaba.

—Pues que usted lo pase bien, señora, y que María Pilar se quede con sus pretendientes...

—Bueno, hombre, no se enfade; la chica no tiene la culpa de este genio mío... Pero ella tampoco es buena hija, y también se gasta su geniecito, no vaya a creer...

—Adiós.

María Pilar tenía razón. Él nunca debió subir a aquella casa, ni hablar con aquella mujer ni ver las habitaciones sucias, abarrotadas de trastos viejos, donde vivía aquella muchacha que a Lucas le gustaba precisamente por inocente y limpia, porque siempre le parecía sencilla y fragante como una rosa. Pero el recuerdo de aquel cuarto ahogado, de aquella cama con la ropa sucia, le perseguía. Tal vez allí dormía María Pilar, y podía resistirlo.

Ahora, debajo de la noche hermosa, el recuerdo de su novia volvió a hacérsele grato y necesario. Quería verla. Ella no le había engañado nunca. No le había contado grandezas. Le había dicho la verdad. En su casa no se sentía a gusto. Tenía que compartir su cama con dos hermanas pequeñas...

—Pero yo les quiero a todos. ¡A ver, son de mi sangre!...

Él la había tranquilizado siempre. No se asustaría de su familia... Y se había asustado, sólo con conocer a su futura suegra.

Ahora, en aquella madrugada sin sueño, se encontraba vagando por las calles y pensando en María Pilar, como un castigo a su cobardía.

Pensaba tanto en ella, que sus pasos, sin darse cuenta más que a medias, le llevaron hasta la calle donde vivía, hasta delante de la puerta cerrada, que con tal mala fortuna había franqueado aquella tarde... Una casa dormida entre otras casas dormidas. Una casa ni buena ni mala, en una calle triste, que en la noche tibia parecía hasta hermosa. Ninguna de sus ventanas era la ventana de María Pilar.

El piso de María Pilar era interior, y ella dormía en una cama de hierro apretada contra las hermanas, sin más aire puro que el que pudiese entrar por el ventanillo del patio con los cristales espesos de polvo... Y sin embargo, ella tenía un color de fruta en el árbol. Parecía que viviese en el campo; estallaba salud, alegría.

Lucas paseaba la calle como un enamorado del romanticismo; el corazón le latía como a un poeta. Tenía ganas de robar a su novia, de rescatarla de las garras de aquellos dragones — de aquel ambiente, de aquella familia — como un caballero medieval. Tenía ganas de pegarse a puñetazos con alguien por ella. La quería como nunca la había querido.

Llegó a su casa cuando clareaba el día, tan borracho de cansancio, de estrellas, de pensamientos amorosos, que no parecía el mismo Lucas que aquella tarde había olvidado a su novia, y un rato más tarde había renegado de ella. Cayó en la cama rendido, y sólo se despertó cuando su madre, preocupada, le sacudió por los hombros rogándole que se vistiera para ir con toda la familia a misa de doce.

Aún parecía dormido cuando se instaló en un banco de la iglesia junto a sus padres y a Luis, que ponía su irrespetuosa cara de conejo aburrido. Su madre le echaba una ojeada de cuando en cuando, y él tenía la extraña sensación de que iba a estallarle el corazón dentro del pecho. Veía, muy lejos, el altar iluminado y el sacerdote oficiando. Su pensamiento estaba a ras de tierra, anhelando a la novia y apenándose por su madre. Cuando se arrodilló en el momento de alzar, formuló sus confusas sensaciones en un rápido ruego:

"Dios mío, que se cure mi madre y que pueda ver yo hoy a María Pilar."

Y cuando levantó la cabeza vio que su oración, al menos en parte, había sido oída. María Pilar estaba allí, en la iglesia, dos bancos más allá de ellos.

Lucas se sintió trastornado, sin poder atender ya a más por el momento. Sabía que su novia no iba a misa casi nunca, que tenía una fe rudimentaria y vaga, pero que cumplir con los preceptos de la Iglesia le parecía beatería...

"Claro que un día iré, por verte, a esa iglesia donde tú vas... Por verte y por acostumbrarme, porque cuando nos casemos me tendré que volver beata yo también."

Estaba allí. Había ido por verle.

CAPÍTULO V

Luis empezó a recibir suspensos como casas. Llegaban uno detrás de otro, sin dejarle respirar, durante aquella terrible semana. Lo ocultaba.

—¿Qué tal van esos exámenes, Luis?

—No sé, no tengo mucha suerte.

—Pero, ¿no te han dado las notas?

—No.

Su hermano Lucas lo miraba con desconfianza.

—Te advierto que si pierdes el curso te deslomo, con que ándate con cuidado.

Esta fraternal advertencia colmó la desesperación de Luis.

—Si yo pierdo o gano el curso no es cosa tuya.

—¿Cómo que no es cosa mía? ¿Es que yo no contribuyo a mantener la casa y a pagar tus matrículas, o qué?

—Pues no contribuyas, y en paz.

Ante esta salida, Lucas quedó con la boca abierta. Cuando se rehízo, Luis ya se había escapado de sus alrededores.

En verdad, el muchacho estaba en el colmo de la angustia y adelgazaba de manera alarmante a pesar de

las yemas batidas con que se empeñaba en obsequiarle
doña Pepita. La repetición del curso podía darse por
descontada.

Llegó un día totalmente negro, en que vio que
tenía que decir algo en su casa. Habían terminado las
clases en el Instituto, y tarde o temprano sus parientes
tendrían que saberlo. Llevaba días durmiendo mal, sobresaltado siempre.

Su padre, preocupado por el préstamo que había so-
licitado en la oficina, y también por la ilusión de consultar precios de hoteles de San Sebastián y por el disgusto de comprobar que eran astronómicos, ni se fijaba
en el muchacho. El padre estaba aún más entusiasmado
que doña Pepita una vez que hubo entrado en su cabeza
el proyecto aquel del veraneo. Cuando llegaba a casa
llamaba a su mujer al comedor, y tenía grandes conciliábulos con ella. Ella se reía como una chiquilla.

— No me dejas hacer nada... ¡Ni que estuviéramos
en la luna de miel!...

— Estamos.

— ¡Vaya un hombre tonto, si hasta tiene lágrimas
en los ojos!...

— Y tú...

Todas aquellas ternezas, que si no hubieran tenido
un fondo tan dramático Luis hubiera calificado de ridículas, absorbían al matrimonio. Doña Pepita ya ni preguntaba a su pequeño por las notas. Se limitaba a luchar
contra su falta de apetito. Pero Lucas era otra cosa. Lucas lo acosaba por la mañana y por las noches.

— Te advierto que voy a ir yo mismo al Instituto a
enterarme, si no vienen pronto esas notas.

— Ve.

En esta palabra Luis puso todo el desprecio posible,

tanto desprecio y tanta amargura, que la madre, que los oía, intervino:

— Pero, Lucas... ¿Por qué esa desconfianza de tu hermano, hijo mío?... Ya no es un niño, aunque nos empeñemos siempre en verlo así... Bastante ha trabajado el pobre. Se ha quedado en los huesos.

— No tengo yo mucha confianza...

Lucas cedió aquel día.

Todos cedían ahora delante de la madre. Cuando doña Pepita se ausentaba era otra cosa; pero a ella nadie la quería molestar excepto, tal vez, Juanita, la sirvienta, y esto se debía de seguro a que la muchacha no estaba enterada de que aquella señora gordita y de tan buen aspecto estaba misteriosamente condenada a morir en un plazo breve.

Luis salió aquel día del Instituto con el espíritu hecho trizas. Llevaba una ignominiosa papeleta que le declaraba "no apto" para pasar al siguiente curso. Luis había llegado a pensar en una papeleta en blanco, de fácil falsificación... Esto al menos hubiera parado el primer golpe.

Era mediodía, y el muchacho se sintió sin fuerzas para ir hacia su casa y aguantar una comida familiar, con aquella papeleta quemándole en el bolsillo. El mundo entero parecía arder bajo el sol del verano. Los árboles, llenos de hojas color verde oscuro, no bastaban para refrescar las aceras polvorientas. Mil toldos de colores se tendían por todas partes. Como por arte de magia la ciudad se había llenado de carritos de helados, de puestos de horchata. Y el cielo, si se le miraba con fijeza, llegaba a tomar un tinte negro, de puro azul. Todas estas cosas le parecían a Luis nuevas. Había ido surgiendo en aquellos últimos días, tan tremendos, en que él parecía como sumergido en una cueva, y ahora le deslumbraban.

El Instituto estaba en un barrio popular. Pasaban mujeres con cestas al brazo, presurosas, con poco tiempo ya para preparar la comida. Pasaban tranvías tintineantes, carros, automóviles. Había un carrillo parado en un cruce. Tiraba de él un borrico. Un hombre, a pie, guiaba al animal, pero sobre la carga del carro — unos sacos amontonados —, un chiquillo sucio y un perro parecían ir en sus glorias. Luis los envidió.

El carrillo echó a andar. Y Luis, fascinado y vago, decidió seguirle por puro capricho. Había decidido reflexionar un poco antes de presentarse en su casa. No sabía aún lo que iba a decir, ni lo que debía hacer para que el golpe fuera menos duro. Si su madre se ponía enferma del disgusto, por ejemplo. ¿Qué le esperaba a él? Lucas había dicho que lo deslomaba. Y Lucas era un atleta.

El carro subía y bajaba, casi saltando, por deliciosas calles viejas, estrechas, frescas. De pronto hubo un atasco, con un camión parado. El hombre del carrito y el chófer del camión se gritaron. El perrillo empezó a ladrar, mientras su dueño, el niño astroso y feliz, le azuzaba en voz baja.

Luis se pegó contra la pared y siguió adelante, medio perdido. No podía estarse quieto en aquel momento. Echó a andar por una calle, cuesta abajo. Nunca, que él recordara, se había metido por aquella parte de la ciudad.

De una taberna y freiduría salía olor y humo de aceite.

"En casa también saldrá humo de aceite de la cocina. Lucas ya habrá llegado y habrá asomado por allí para picar patatas fritas. Mamá dirá: Ahora mismo van a llegar tu padre y tu hermano... No seas tan hambrón, hijo... Bueno, mira; te pondré un platito para que vayas picando...".

Luis sintió un extraño dolor de estómago y ganas de vomitar. La idea de su familia le obsesionaba. Casi sin pensarlo, decidió librarse de ella. Entró en la freiduría.

— ¿Tienen teléfono?
— Sí, de ficha.

Luis sacó los céntimos necesarios para pagar su conferencia, con aire grave. En su casa no tenían teléfono. Él se alegraba de esta circunstancia. Así resultaba todo más sencillo. Llamó a unos vecinos que eran amigos.

— ¿Quieren avisar a casa que no voy a comer? Sí, soy Luisito. Digan que me quedo con un compañero de clase... Gracias.

Ahora estaba libre realmente. Libre y solo en el mundo por todo un día. Le parecía que nunca, desde su nacimiento, se había encontrado así, sin ataduras.

La calle iba llevando, en su cuesta abajo, hacia zonas más verdes y frescas de la ciudad. Se adivinaba la proximidad del río.

Cuando Luis era pequeño había ido alguna vez, en familia, a merendar a las orillas del río, en tardes de verano. Nunca se le había ocurrido ir solo, por su gusto.

Encontró las vías de un tren. Las saltó bonitamente. Delante de sus ojos se ensanchaba un paisaje sin edificios. Abajo el agua, escasa, entre grandes piedras. Enfrente, colinas umbrosas, cipreses, estatuas blancas: los cementerios. No los quiso mirar y fue siguiendo las orillas del río. En un remansillo, ya en las afueras, se bañaban dos muchachos. Luis sintió un calor y una fa-

tiga agobiantes. Buscó algo más lejos, un sitio solitario.
Como era miedoso, recordó historias de ahogados en
aquel mismo río, tan inofensivo... Él no sabía nadar.
Pero en verdad, por allí casi no había agua; una corriente remansada en charcos, entre piedras.

Se quedó en calzoncillos, dejando la ropa muy al
alcance de la mano. Al quitarse la camiseta descubrió
que el sudor había hecho que se pegase a su espalda y
a su pecho.

Una vez desnudo sintió un airecillo fresco en sus
carnes. Tenía la conciencia de su delgadez de adolescente, de sus costillas salientes, de sus piernas blancas
y tímidas, largas como de animalillo joven. Sentía la
curiosa vergüenza de un ser civilizado a quien de pronto
dejan solo y descubierto entre los campos. Respiraba
el aire con la torpeza de un elemento que no fuese el
suyo.

Dio una carrerita, y con un cómico salto se encontró sentado sobre el fango del río, con el agua a la
cintura. Rápidamente echó sobre su cabeza y sus hombros chorros de aquel agua con olor a peces muertos.
Luego se puso de pie, como si fuera un hombre nuevo... Le entró una especie de entusiasmo insensato de
frotarse los brazos, la cara y el cuello como si tuviera
en las manos una pastilla de jabón. Luego tuvo unos
deseos locos de golpearse el pecho y lanzar un grito,
como había visto hacer, en una película, a un hombre
de la selva.

Al salir, su cara aguda, que los últimos días aparecía ensombrecida como la de un viejecillo, tenía una
expresión de alegría ingenua.

Se apartó de la frente un mechón de cabello cho-
rreante, y las gotas de agua corrieron detrás de sus

orejas, por su cuello, produciéndole una sensación deliciosa.

Descubrió los dientes en una risa feliz, mientras se sentaba a secarse sobre la yerba. Tenía las piernas sucias de lodo, y el sol levantaba vaharadas de su cuerpo.

Al vestirse descubrió que tenía hambre. Un hambre auténtico después de tantos días en que la comida le repugnaba. Pero no había ni que soñar en satisfacerla.

Buscó en sus bolsillos una brizna de tabaco. Nada. No había nada.

Luis fumaba. Fumaba poco, apenas algún pitillo escamoteado a don Roberto con habilidad. Era el único de su casa, aparte de su padre, que tenía aquel vicio. Oculto, naturalmente, y por eso mismo más sabroso.

Pero en aquel momento tampoco estaba a su alcance aquello. Sólo tenía para llevarse a la boca algunos yerbajos de mal aspecto de los que crecían por allí. Cogió un puñado de ellos y los masticó, sintiendo un gusto ácido y amargo, verdaderamente repugnante. Los escupió, aliviado, sin embargo.

Se tendió sobre la tierra, al resguardo de una pequeña sombra, cruzando las manos bajo la cabeza, observando la profundidad del aire azul, ligeramente empañado por un velo de calor.

Volaban pajarracos, en un vuelo alto, diluido en el sol, que a Luis se le antojó feliz, sobre todas las felicidades que pudiera haber en la tierra. Luis, sin formularse aquel deseo con palabras, hubiera querido en aquellos momentos ser un ave de rapiña de fuertes alas meciéndose en el azul. Vivir así... Sin casa, sin familia, sin mala conciencia, sin papeletas de exámenes...

De pronto a Luis se le vino a la memoria que él tenía la posibilidad de empezar una vida de vagabundo auténtico...

Cuántos muchachos ha habido que por menos de lo que a él le sucedía se han escapado de sus casas empezando una vida libre y solitaria, buscando el pan de cada día. Estos muchachos, andando el tiempo, se convierten en hombres célebres, han sido conquistadores de mundos, millonarios, escritores famosos...

Luis pensó en que él tenía dinero escondido, y hasta mucho dinero... ¿O no era mucho ochocientas pesetas? Desde luego, para una bicicleta no le bastaba... Aunque le habían dicho que quizá una de ocasión... Pero Luis no quería una bicicleta de ocasión, sino una nueva, brillante, niquelada; quería una magnífica bicicleta.

Por primera vez se le ocurrió renunciar a ella. Se le ocurrió comprar una mochila, llenarla con algunas vituallas y echar a andar...

Ni siquiera hacía falta una mochila. Un palo con un hatillo en la punta, como en los cuentos de niños.

Cerca de donde estaba Luis, en algún sitio, pitó un tren; oyó su resoplido.

Él tenía dinero para coger un billete de tren, bajar en una estación cualquiera y echar a andar por los campos de Dios. Se bañaría en todos los ríos, y después comería un bocadillo inmenso... La sola perspectiva del bocadillo le puso alegre el corazón.

Todo parecía fácil allí tumbado, sintiendo apenas el resoplido de la ciudad, su calor, su angustia, en la vibración de aquella tierra, que aún llevaba basuras y desperdicios de la ciudad, mezclados a sus terrones.

"Todo el mundo busca la felicidad. Yo ya sé cuál es la felicidad... Escaparse. No volver la vista atrás ni por un momento. Desentenderse de todo. Ya está..."

Se estaba adormilando. Cerró los ojos. Se vio andando por una carretera, en una noche de luna. La carretera era polvorienta, y el polvo, en la noche fresca, era una deliciosa alfombra para los pies. Mientras se anda, el olor de las praderías ensancha el alma. Se oyen ladridos de perros... No se piensa en nada...

Luis se durmió hasta la media tarde, en que los gritos de unos muchachos, que andaban por los alrededores, le despertaron.

Tenía un ligero dolor de cabeza y recordó que no había comido. Se llevó la mano al bolsillo del pantalón y encontró un poco de calderilla y el crujido de aquella papeleta de exámenes que tanto le había preocupado por la mañana y que ahora le volvía a preocupar.

Le latía el corazón con fuerza. De pronto tuvo una decisión valiente.

"Voy y les digo todo. Si hay escándalo, cojo mi dinero y me escapo. Me escapo..."

Su fuerza la venía de que deseaba eso. Escaparse...

Según fue llegando a su casa, sin embargo, se sintió más cansado y descorazonado. Perdió mucho tiempo en orientarse, en buscar tranvías. En uno de los tranvías logró asiento al lado de una señorita... No le tenían las piernas. La señorita hizo un gesto raro cuando Luis se sentó junto a ella. Luego sacó ostensiblemente un pañuelo muy perfumado y lo puso debajo de su nariz.

Luis se empezó a reír silenciosamente con su expresión de conejo. Tenía adherido a las ropas el olor de fango sucio que despedía el río. Quizá se había bañado en un vertedero. Pero esto le parecía sin importancia. Hasta gracioso...

Se iba haciendo de noche según llegaba a su casa. Muchas ventanas aparecían iluminadas. Luis tuvo un terror infantil de tropezarse con su hermano Lucas antes de entrar en casa. No lo encontró.

En casa estaban su padre y su madre sentados al fresco del balcón del comedor.

Oyó sus voces, y desde el pasillo aguzó los oídos por si hablaban de él. Una sensación medio de alivio, medio de amargura, le llenó el espíritu. Sus padres tenían otras preocupaciones.

—Es un disparate, Roberto. Las tres mil pesetas del préstamo no nos llegan... Os ha entrado a todos una manía... Lucas también quiere entramparse por ese dichoso veraneo... Que no hace falta...

—Te hace falta. El médico ha dicho que mejorarás con el aire del mar...

—Pero si estoy buena... Todo eso es un absurdo... En todo caso podíamos ir a casa de tu hermana, en el pueblo...

—A ti no te gusta, ni a mí... Me parece que ahora que somos viejos algún gusto podremos darnos. Figúrate que éste fuera nuestro último verano...

Hubo una pausa. El corazón de Luis se encogió, sin saber por qué. Tuvo que poner una atención muy grande para recoger un "sí" apagado, dudoso, triste, que fue la respuesta de su madre.

De puntillas fue a su cuarto. Otro lavatorio no entraba en sus cálculos por aquel día, de modo que al pasar por la habitación de Lucas le cogió la botella de ronquina, y se empapó los cabellos. Con aquello le parecía a Luis que quedaba arreglado lo de su sospechoso olor a lodo.

Luego se sentó en la cama, apoyó los codos en las

rodillas y se cogió la cabeza con las manos. Se daba cuenta de que no tenía valor para comunicar su suspenso. Por mucho que quisiera olvidarlo, sabía que en aquella casa se hacían verdaderos sacrificios por sus estudios. En cuanto a escaparse...

Cerró los ojos, y la imagen del cementerio, tal como la había visto desde el río, se le apareció, clarísima, como si la tuviese clavada en el revés de los párpados. Por la humedad caliente que se deslizaba entre sus pestañas comprendió que estaba llorando. Hizo un movimiento maquinal de buscar el pañuelo en el bolsillo de la chaqueta. La estilográfica que llevaba orgullosamente prendida en aquel bolsillo había desaparecido. Seguramente se la habían robado mientras dormía como un estúpido.

Esta certeza acabó de descorazonarle, y su llanto se convirtió en un penoso e incontenible sollozar. De pronto se encontraba deshecho. Así, llorando, lo encontró su madre unos minutos más tarde, porque él se había olvidado de cerrar la puerta y aquella mujer parecía adivinar siempre la presencia de los hijos en casa. Y como sabía sus refugios...

Luis oyó cómo la cama crujía con el peso de doña Pepita al sentarse al lado de él. Casi sin notarlo, el muchacho se encontró en sus brazos, llorando, con la cabeza apoyada en su hombro. Si alguno de sus compañeros de clase hubiera podido verlo, Luis habría muerto de vergüenza. Pero nadie lo veía; y él se sentía derretido en una extraña dulzura. Hay veces que las cosas sencillas, humildes, tiernas, como aquellos besos que su madre le daba... Hay veces que las cosas, así, no resultan ridículas ni humillantes.

—Bueno... ¡Esto sí que es ser un chico tonto!...

¡Por un suspenso más o menos!... Si hace días que te lo vengo notando... Si quería hablarte de ello...

—He perdido todo el curso.

Aquello era un bendito alivio. Más refrescante que su baño del río. Poder decir esto a su madre y que ella lo oyese sin inmutarse.

—Tu padre ya lo sabe... Fue ayer al Instituto... No quiso decirte nada. Quiere que tú seas valiente y se lo digas...

—¿Papá?...

—Sí, papá y Lucas... Yo les he rogado que no te digan nada... Yo tengo confianza en ti...

Él sentía los latidos del corazón de su madre. Olía su olor a ropa siempre limpia, y el ligero aroma de los polvos que se daba en la cara.

Se apartó de ella, y trató de verla en la obscuridad del cuarto. No pudo; apenas venía una raya de luz desde el pasillo y ellos dos estaban en penumbra.

—¿Por qué tienes confianza en mí? Nunca hice nada para eso.

—Pues porque eres mi hijo...

Nada más. Aquello a la madre le parecía una respuesta convincente.

CAPÍTULO VI

Doña Pepita fue por la cocina a echar una ojeada a la sirvienta y a coger un caldero de agua hirviendo que estaba sobre un fogón.

—¡Esa agua la necesito para fregar!—atacó Juanita.

—Pone usted otra a la lumbre. El señorito Luis se va a bañar.

Doña Pepita tenía la cara iluminada por una misteriosa sonrisa. Recordaba el espanto de Luis cuando le mandó lavarse.

"Este pinta se me ha ido al río, y cree que se va a volver pez con tanto remojón... Porque como sucio, es sucio como él solo, este chiquillo. ¡Si yo faltaral...!"

El monólogo mental terminó con un suspiro mientras vertía el agua hirviendo en la bañera.

—Pero yo no faltaré. Son todos todavía demasiado tontos...

Esta afirmación contra todos los pronósticos médicos y familiares la había dicho doña Pepita casi en voz alta.

—¿Qué dices, mamá?

—Digo que te enjabones bien la cabeza. Que Lucas va a perder los estribos si huele su ronquina.

La puerta del cuarto de baño se cerró suavemente, y la señora se sentó junto al balcón, como un rato antes. La luz del comedor estaba encendida. Don Roberto leía el periódico. Levantó los ojos para mirarla.

—Tarda Lucas...

—Tarda. Estará con la novia.

A doña Pepita aquella María Pilar, cuando la conoció un domingo a la salida de misa, no le cayó bien. No le gustaba nada. Se veía en seguida que no era lo que se dice "una señorita", como Lolita, por ejemplo...

Sin embargo, doña Pepita no había expresado en voz alta su desagrado.

Ahora empezó a reflexionar que, desde una temporada atrás, ella no parecía la misma. Había sentido la muerte de cerca. Quizá era eso... Antes había sido viva de genio, amiga de expresar sus opiniones sin muchas tonterías... Aquel noviazgo disparatado de Lucas, aquel suspenso de Luis hubieran sido para ella verdaderos dramas. Hasta habría llorado. Pero sentir a toda su familia conmovida, pensando que quizá aquel verano era el último de su vida, la reblandecía... Ella misma se portaba como si estuviese despidiéndose de la vida. Comprendía con un sentido más dulce y tolerante todas las cosas. Delante de la muerte las cosas todas tienen menos importancia. Se entiende que la vida deba de ser una cosa más suave, más humana, con menos esquinas de las que nos empeñamos en ponerle todos los días. Sin embargo, aquel noviazgo de su Lucas con aquella criatura chata, gruesa, desgarrada en su forma de hablar...

Suspiró.

—¿Qué te pasa?

—Nada. Luis ya me ha dicho todo...

—Me alegro. Creí que falsificaría la papeleta.

—¿Por qué?

—No sé. Ese muchacho nuestro es algo retorcido, por más que tú te empeñes en defenderlo. No es como nosotros...

—No empieces.

—No. Pero, ¿por qué te ríes?

—¿Me río?... No sé; pensaba... Pensaba, Roberto en que os vais a llevar un buen chasco conmigo. Yo no me muero por ahora...

—¡Qué cosas dices!... ¿Quién te ha metido en la cabeza que...?

—Todos me lo ocultáis tanto, que no hace falta ser un lince para darse cuenta...

—Si tú hubieras creído alguna vez un disparate así no estarías tan tranquila.

—Pues lo he creído... Por eso estoy tan tranquila. Nada me parece muy importante... Como no sea el veros contentos. Casi siempre ha sido así, esa es la verdad. Toda mi vida.

—Sí, es verdad...

—Pero algunas veces me ponía nerviosa, me enfadaba con todos. Tenía ganas de tiraros algo a la cabeza...

—No sabía yo, mujer...

—Sí, sí, sabes... Hemos discutido mil veces... Claro que ahora es difícil discutir. Me dais gusto en todo...

Don Roberto se reía.

—Sí, no te rías. No tiene demasiado mérito... Yo tampoco soy muy difícil de contentar... Por ejemplo, esa novia de Lucas que tú y yo tenemos atragantada...

—¿Que tenemos atragantada?... Es la primera noticia. A mí me recuerda a como eras tú de joven...

Doña Pepita abrió la boca de asombro.

— ¡Jesús!...

Luego se rehízo.

— ¿Ves? Me estoy acostumbrando a no saltar nunca; ni por la novia, ni por nada... Sólo le he pedido a la Virgen una cosa; que me conserve la vida mientras todos seáis tan tontos que no podáis aún manejaros solos... Sé que me lo concederá... Y va para largo.

Don Roberto se tiró de los bigotes.

— Mujer... Eres tan extraordinaria, que no me extraña ni siquiera que tengas relaciones particulares con el Cielo.

*

Un rato más tarde, Luis, peinado primorosamente y vestido de limpio, causaba el asombro de la familia al extender sobre la mesa un fajo de billetes.

— Para el veraneo de los padres.

Estaban todos reunidos para la cena. Todos sentados a la mesa esperándole, como de costumbre. Pero aquello rayaba en lo asombroso. Se quedaron sin decir palabra. Lucas contó los billetes.

— Ochocientas pesetas... ¿De dónde has sacado tú las ochocientas pesetas?

El padre se había puesto en pie, descompuesto.

— Si has encontrado esto en la calle, desde ahora te digo que hay que devolverlo.

— No hay que devolverlo... Lo he ganado yo...

Luis tenía la voz un poquillo temblorosa.

— ¿Que lo has ganado?...

La voz de Luis se hizo como un hilo.

— En la lotería de los ciegos... Sí.

Fue un golpe afortunado. Tan afortunado que a nadie le cupo la menor duda sobre su certeza. Luis sintió por el pecho como un ahogo de alegría. Le parecía que era la primera vez que sentía una alegría así, de ver felices a los demás, simplemente.

—Pues no sabes la suerte que es eso, muchacho — decía Lucas —. A mí no me han prestado en la oficina más que mil pesetas... Pero mi novia me ha dado otras mil... ¿Os causa asombro?... Son sus ahorros. Los ahorros que ella tenía para ir preparando su equipo de boda... En su casa ni lo saben... Es una muchacha como no se encuentra otra. Es como tú, mamá... Igual que tú.

Doña Pepita miraba su plato, aún vacío; y con un dedo gordezuelo trazaba misteriosamente signos en el mantel. Don Roberto sonreía un poco, debajo de sus bigotes, mirándola.

Se hizo un silencio. Una mariposa de noche, misteriosamente perdida en la ciudad, entró por el balcón y empezó a revolotear, torpe, gruesa, junto a la lámpara.

—Bueno, mujer, ¿qué dices a esto?...

Doña Pepita levantó una cara sin sonrisa, una cara que resultaba conmovedoramente cómica, con los ojos empañados.

—Hijo... Tu padre quiere que te diga algo... Pues, no sé... Dile a tu novia que no se parece tanto a mí como todos os empeñáis en decir... Dile que yo, a su edad, no hubiera dado mis ahorros para que una suegra desconocida se fuese de veraneo. Ésta es la verdad, y tengo que decirla. Yo no los hubiera dado.

CAPÍTULO VII

—No sé, no me voy tranquila...
    Esta frase de la madre los había puesto nerviosos a todos.

Ya estaban las maletas preparadas. Unas maletas algo viejas, esa es la verdad, pero que gracias a unas fundas, cosidas por la propia doña Pepita, presentaban un aspecto impecable. También doña Pepita presentaba un aspecto deslumbrador, con un abrigo nuevo, gris, y hasta un sombrero.

Luis no hacía más que mirar aquel sombrerito de paja negra. Doña Pepita, desde antes de la guerra, no había tenido ningún sombrero, y como Luis había nacido más tarde, no recordaba a su madre con otra cosa a la cabeza que la mantilla de encaje que se ponía los domingos para ir a misa. Lucas, aunque decía que sí, que se acordaba, también sentía la novedad de este atavío y le causaba orgullo.

A Luis, orgullo no le causaba. Una extraña mezcla de irritación y de piedad, eso es lo que sentía al ver a su madre, mucho menos "ella" que de costumbre, casi sin atreverse a moverse, a gesticular, dentro de su vestimenta complicada.

—No, no me voy tranquila. Mira que si nos falta

dinero allí, sin conocer a nadie... Me moriría de vergüenza.

—Mujer, nos sobrará dinero.

—Mamá, Roberto me ha prometido dos mil pesetas. Tú sabes que él no falta a su palabra.

—No, él no querrá faltar a su palabra, pobre hijo,
pero si no puede... Ya debería de haber venido con
ellas... ¡Ay!... Me temo que todo esto sea una locura.

—Si no ha venido es que te las llevará a la estación.
Y si no, las giraremos.

—Pues claro, mujer. —Don Roberto se tiraba de
los bigotes —. Ya sabes que de eso no se puede hablar
delante de Lolita. No vayas a meter la pata luego...

—¿Por quién me has tomado?... Pero no me voy
tranquila, no...

Estaban todos en pie de marcha en el comedor. Don
Roberto hasta con la gabardina al brazo desde hacía
una hora. Doña Pepita, a pesar del calor sofocante,
con el abrigo al brazo, prevenidos ya para el fresco de
San Sebastián. Lucas, Luis y María Pilar, que, un poco
tímida, se había agregado a la familia para la despedida,
llevaban también sus mejores galas.

Apareció Juanita con una taza de tila.

—Veo que doña Pepita está demasiado nerviosa...
No se preocupe por los hijos, señora, que en mis manos estarán hasta mejor que con usted.

El detalle de la tila conmovió a doña Pepita hasta el
punto de que le temblaban las manos al tomarla. Luego
le produjo un terrible efecto. Empezó a sudar y tuvo que
volver a empolvarse la nariz.

—Bueno, se ve que Roberto va a llevar eso a la
estación. Lo mejor será que nos vayamos marchando...
Falta sólo una hora para la salida del tren.

Lucas, aunque lo disimulaba, estaba nervioso; como si fuera él mismo quien se marchase para un viaje de bodas.

—Si el burro de mi hermano no aparece con las pesetas, te digo que me va a oír.

Esto lo susurró al oído de su novia. Ella le apretó la mano.

—Ya, ya... También es triste que tenga que estar engañando a la mujer para sacarlas de la caja de ahorros... Porque, al fin y al cabo, ella lo ha de saber, ¿no?

—Por mí que se arregle como quiera, pero que las traiga. Me juró hace una semana que me las daba. Y desde entonces, todos los días me lo jura.

—¿Qué decís, hijos?

—Nada, mamá. María Pilar que dice que estás muy guapa.

—Vaya... Es muy amable. Ya me lo dijo antes.

—¡Vamos!... Lucas, las maletas... ¿Puedes con las dos?... Que Luis lleve el maletín de mano.

Llegaron a la estación antes que nadie. Ya estaban instaladas las maletas, inspeccionada la blandura y comodidad de los asientos cuando aparecieron Lolita y su madre.

—¿Y Roberto?

—¿No está aquí?... Dijo que vendría directamente, que tenía un trabajo urgente que terminar...

Lolita inspeccionaba a su suegra de arriba abajo.

—Le habrá costado mucho ese abriguito de verano...

—No, hija. He buscado la tela con cuidado, y María Pilar, que cose muy bien, me ha regalado la hechura.

—Ya...

Doña Pepita adivinó los pensamientos de su nuera.
Lolita estaba pensando que era una lástima hacerse un
abrigo así para disfrutarlo un solo verano. Doña Pepita
pensó que quizá se lo dejara a Lolita, la pobre, en el
caso improbable de que, como pensaba ella, aquel verano fuese el último que sus ojos vieran sobre la tierra.
Una sonrisa maliciosa le recorrió la boca al guardarse
este secreto. Pero inmediatamente pensó que era una
maldad no darle a Lolita aquella alegría. Sobre todo,
pensando que el día menos pensado se iba a llevar un
disgusto cuando se enterase que Roberto había mer-
mado sus ahorros en dos mil pesetas. Se inclinó hacia ella.

— Este abrigo será para ti si yo me muero, hija mía.

Lolita enrojeció. Y como tenía gran facilidad para
hacerlo comenzó a llorar.

— ¡Mamá!... ¡Qué cosas dice usted!...

— Bueno, bueno... No me hagas llorar a mí también...

— Falta un cuarto de hora para la salida — dijo Lucas, que a cada instante miraba su reloj.

Doña Pepita sintió palpitaciones de corazón.

— ¡Y Roberto no ha llegado!...

*

Roberto llevaba pasando una semana angustiosa,
desde que prometió solemnemente a Lucas dar dos mil
pesetas para el "último verano" de la madre.

Dos mil pesetas, que si bien se mira no son nada,
puesto que sirven para adquirir tan pocas cosas, pueden
llegar a constituir una cantidad fabulosa, una cantidad
imposible de encontrar en un momento determinado.

Roberto tenía bastantes más de dos mil pesetas en su libreta de la caja de ahorros. Pero las necesitaba para Lolita. Eran tanto de Lolita como de él... Eran un imposible.

— Las sacaré — había pensado en un rapto de valor, sin fuerza moral para oponer a su hermano las razones de Lolita, después de que Lucas le contó que su novia había entregado todos sus ahorros para contribuir al veraneo.

Esto, es un impulso, había sido fácil de decir, de prometer...¡Pero luego!... Roberto había pasado noches sin sueño, desesperado, sin atreverse a aquella audacia doméstica.

"Si no tuviera que ser este verano... Si quedase para el verano que viene..."

Roberto pensó una y mil veces que en un año, privándose de todo, lo que se llama de todo, él podía reunir aquellas dos mil pesetas. Tenía una asignación mensual de doscientas pesetas para gastos de transportes, para pequeños y humildes caprichos... Casi siempre, de este dinero le sobraba algo a fin de mes para hacer un pequeño regalo a Lolita o para llevar unos dulces, los sábados, cuando iba a comer a casa de sus padres. Roberto se sentía capaz de levantarse antes, y de ir andando a la oficina sin que se enterase su mujer... Se sentía capaz de todos los sacrificios, menos de quitarle a Lolita, por fuerza, las dos mil pesetas. Una noche, la misma Lolita, espantada, tuvo que sacudirle, despertándole, en medio de una pesadilla. Al parecer Roberto gritaba:

— ¡Un año!... ¡Que me den un año!...

El día anterior a la marcha de sus padres, cuando Roberto ya se sentía trastornado con su problema de dinero, un compañero de oficina que sabía sus cuitas le dio una solución, recomendándole a una señora prestamista, "muy buena mujer", que seguramente le sacaría de apuros prestándole aquella cantidad y aceptando su devolución por meses.

Mientras sus parientes estaban camino de la estación, Roberto había ido a casa de la prestamista en cuestión.

Roberto se sentía tímido, azoradísimo. Se perdió en el camino por un barrio desconocido, y dio vueltas, como si en vez de un hombrón, hubiese sido un niño que por primera vez salía de casa. Le parecía hasta que tenía fiebre.

Se imaginaba encontrar a una vieja bruja amarilla de avaricia, y tropezó, en cambio, con una señora de buenas carnes, muy jovial, que hasta le dio un vaso de agua fresca para tranquilizarlo.

—Sí, ya me han hablado de usted... Su forma de pago no me conviene en absoluto... Doscientas pesetas al mes no son nada... Pero por hacerle un favor...

Roberto concluyó firmándole un recibo por cuatro mil pesetas. No era un año de sacrificios, sino dos, los que se imponía de aquella forma. Sin embargo, cuando recibió los dos billetes de mil estaba tan agradecido que hasta tartamudeaba.

*

Llegó a la estación cinco minutos antes de que el tren saliese. Ya estaban doña Pepita y don Roberto asomados a la ventanilla, y los demás, en el andén, con esas caras difíciles de los últimos momentos de una despedida, en que hay que hablar a gritos y no se encuentra nada que decir.

Roberto, aguzando toda su inteligencia, había comprado un paquete de caramelos, y había metido allí los billetes.

Llegó todo sofocado, anhelante, y tendió los caramelos a su madre.

— ¡Mamá!... Ahí dentro va lo que tú querías — gritó.

Se dio cuenta de que doña Pepita había entendido y resopló satisfecho, liberado, en el momento en que el tren comenzaba a alejarse.

Doña Pepita, junto a su marido, contemplaba aquel grupo familiar que quedaba, como extático, en el andén. Se le borraron un momento entre lágrimas de emoción.

— Son tan tontos que es imposible que yo me muera. Imposible...

Esto lo dijo en un susurro. Luego quedó callada, asustada, porque repentinamente se había sentido mal. Tan mal, que estaba pensando al fin que quizá tuvieran razón todos, que aquel iba a ser su último verano.

UN NOVIAZGO

CAPÍTULO PRIMERO

A CABABAN de dar las cinco cuando aquella tarde repiqueteó el teléfono interior en el despachito de Alicia. En seguida escuchó ella la voz de su jefe, el señor De Arco.

— Ven cuando puedas... ¿Tienes mucho trabajo?

— No, nada importante.

— Bien, pues cuando tú quieras; yo estoy aquí hace un rato...

Alicia dejó el auricular. Cerró la novela que estaba leyendo y la guardó cuidadosamente en un cajón de su mesa. La correspondencia que debía firmar De Arco estaba preparada en una carpeta. La habitación respiraba paz y orden. Apenas llegaba una algarabía de pájaros desde detrás de los cristales de la ventana, en el jardín interior.

Gracias a ese jardín, el depachito de Alicia tenía una luz dorada, ahora que el otoño enrojecía los grandes árboles. En primavera, la luz era de un verde tierno; en verano se hacía submarina, fresca; en invierno las ramas desnudas dejaban pasar toda la claridad, todos los rayos de sol.

El despachito de Alicia era íntimo como una casa, con aquella ventana y la gran temperatura que había siempre en él. No era una habitación muy grande. Las paredes estaban recubiertas de armarios-ficheros, y aparte de eso no había más muebles que la mesa de trabajo y las dos máquinas de escribir que Alicia usaba: una grande, de carro, siempre fija allí; otra, portátil, para llevar al despacho de De Arco, en caso de que fuese necesario. Esta eventualidad cada vez más rara. De Arco, en los últimos años, había ido abandonando sus asuntos en manos de sus sobrinos. Su prodigiosa actividad se había ido borrando. Tener aquella secretaria particular resultaba ya un lujo... Un lujo que De Arco se podía costear perfectamente y que pagaba mal. Por lo demás, Alicia se ocupaba también de la biblioteca, y mantenía un maravilloso orden en sus ficheros. Era una persona inapreciable en aquella casa. Ella lo sabía.

Sentada aún a su mesa, abrió su bolso de mano y sacó la polvera. El espejito redondo le devolvió una carita ovalada de facciones correctas, frías, rodeadas por unos cabellos discretamente teñidos de rubio. El tiempo había comenzado en aquel rostro una indefinible labor de destrucción, pero lo hacía de una manera muy especial, fría y correcta como la misma Alicia. No había allí arrugas violentas, ni bolsas bajo los ojos. No lanzaba aquella cara gritos de alarma en favor de una belleza declinante. Tampoco la vida había impreso ninguna dulzura especial, ninguna huella de risa ni de ceño. Había quien decía que Alicia a los cincuenta años se conservaba prodigiosamente como a los veinte. La misma Alicia así lo pensaba. Y, sin embargo, nada más distinto, a pesar del asombroso parecido de las facciones, que esta Alicia de hoy y una fotografía de Alicia cuando muchacha. Alicia se empolvaba con cuidado y sin coquetería. Siempre se había puesto muchos polvos, y esto formaba parte de su persona, como el peinado perfecto de sus cabellos, como la limpieza impecable de sus trajes.

Ni una mancha, ni una arruga... Era su lema. Y era bastante difícil lograr aquel perfecto planchado en los trajes complicados que Alicia llevaba. Era amiga de volantes, plisados y toda clase de adornos de los vestidos. Jamás se había decidido a trajecitos oscuros con puños y cuellos blancos para el trabajo. Los trajes "estilo secretaria" le daban horror.

Como era muy cuidadosa, y como su situación económica era estrechísima, no dando lugar a renovar el guardarropa más que muy de tarde en tarde, Alicia solía parecer un figurín de la moda más acusada, con varios años de retraso siempre. Su figura delgadita, rígida, acentuaba aún más esta impresión antigua y melancólica de maniquí.

Cuando terminó su tocado, Alicia recogió la carpeta de correspondencia para llevarla al despacho de De Arco.

Atravesó con seguridad una inmensa biblioteca, donde ella, entre los millares de volúmenes acumulados por la curiosidad intelectual y luego por la inercia de tres generaciones, resultaba una cosita muy pequeña vestida de verde pálido... Años atrás, cuando Alicia atravesaba aquella habitación, se sentía invariablemente tímida y sofocada por los latidos de su corazón, le parecía que jamás acabaría de llegar al otro lado, a la puerta del despacho de De Arco. Ahora las inmensas estanterías encristaladas, las estatuas de mármol blanco, las mesas de roble donde nadie apoyaba nunca un libro para leer, toda aquella fría suntuosidad de museo se había convertido en algo habitual y poco impresionante.

Empujó con ligereza una puerta de cuero y se encontró en el despacho.

De Arco no estaba en su sillón detrás de la gran mesa tallada, sino de pie junto a una de las ventanas, mirando desde otro ángulo el mismo jardín, al que daba la ventana del despacho de Alicia. Separadas por un razonable espacio y por varios árboles y una fuente, aquellas ventanas debían quedar una frente a la otra. Alicia lo sabía muy bien.

De Arco era un hombre corpulento, en plena decadencia. Desde hacía dos o tres años se derrumbaba como una torre. Había pasado de una juventud largamente sostenida a una decrepitud física que causaba asombro en los que le conocían. Ahora parecía de más edad de la que tenía realmente. Tenía la nariz aguileña y su cabello era espeso, pero completamente blanco. Blancas también las cejas, y, debajo de ellas, una última y viva juventud en los ojos negros le hacían muy simpático.

Estaba de pie junto a la ventana, y se apoyaba en un bastón. Acababa de pasar un terrible ataque reumático, y aún se resentía. Se volvió apenas al sentir a Alicia y la llamó.

—Deja esa tremenda carpeta sobre la mesa y ven aquí. Hay algo interesante.

Su voz, como sus ojos, estaba llena de vida y de simpatía. Alicia pareció no oír. Preguntó desde lejos:

—¿Cómo se encuentra hoy?

—¡Rejuvenecido!

De Arco sonreía, y en aquella sonrisa había un poco de ironía y mucho encanto.

—Bueno, acércate. Tienes que ver cómo juegan los perros. Te voy a regalar uno de los cachorros.

En el patio jugaban, en efecto, una pareja de *setters* y tres crías.

—Ya sabe usted, De Arco, que en casa no tengo sitio para perros.

—Bueno... Pero ¿no te gustan?

—Sí...

Alicia no sabía si los perros le gustaban o no. Se había pasado la vida diciendo que adoraba a estos animales y había acabado por creérselo. A De Arco le gustaban mucho.

Alicia se había acercado muy circunspecta a la ventana, dejando un buen espacio entre ella y el jefe. Miraba aplicada y seriamente hacia el jardín; la expresión de su cara menuda era la misma que cuando estaba ante la mesa de trabajo. De Arco la contempló.

—Pareces una niña, Alicia. Es curioso.

Alicia enrojeció ligeramente.

—Soy mucho más joven que usted.

De Arco golpeó impaciente con el bastón.

—No me refería a tu edad... Y ahora que estamos solos, como siempre, por más señas, quisiera que me explicases cuándo vas a dejar de llamarme de usted... Es bien ridículo entre nosotros.

Alicia le miró. Tenía los pómulos enrojecidos.

—No sé qué pretende, De Arco. Jamás he sido para usted otra cosa que una secretaria... Y que yo sepa no le he dado permiso nunca para tutearme.

—¡Válgame Dios!... Nos conocemos hace treinta años, me has salvado la vida en una ocasión, has velado el cadáver de mi hijo. Y no puedo llamarte de tú... Eres una ridícula...

Los ojos de Alicia resultaban casi siempre apagados. Ahora brillaron.

—No soy como las demás mujeres que usted está acostumbrado a tratar, eso es todo. En las ocasiones a que usted se refiere me limité a cumplir mi deber. Soy su secretaria, como antes. Le trato con todo respeto y exijo respeto también.

—¡Bravo, señor! Ahora hay que aplaudir, ¿no es cierto?

De Arco bromeaba, mientras Alicia seguía seria. Él levantó el bastón señalándola, sin que la secretaria perdiera su rigidez.

—¡Tonta de capirote!...

Hubo un pequeño silencio.

—¿No quiere repasar su correspondencia?

—No, no quiero repasar mi correspondencia. Quiero charlar contigo. Vamos a sentarnos, porque me duele el pie, y vas a pedir que nos sirvan la merienda allí, junto a la chimenea... ¿Cuántas veces hemos merendado juntos aquí, Alicia?

—Desde que usted se aburre, muchas.

—Treinta años viéndote... ¿Te das cuenta de que esto resulta ya una especie de matrimonio? Nadie sabe tantas cosas de mí como tú... Esto es un descanso...

Suspiró mientras se sentaba en la butaca.

—Me es muy agradable verte... Creo que nos tenemos cariño, ¿no?

Alicia no contestó a esto. Había llamado, y luego habló discretamente con una gruesa señora vestida de negro.

Al cabo de unos minutos tenían la merienda servida junto a la chimenea.

—Bueno, ortiga; dime algo de ti.

Frente a él, Alicia, sentada en el borde de un sillón, parecía realmente una ortiga dispuesta a pinchar si De Arco acercaba una mano para tocarla. A pesar suyo sonrió.

— Sabe usted tanto de mí como yo de usted, señor De Arco.

Acentuó mucho el "señor".

— Eso sí que no es verdad... Nunca he tenido tus confidencias, y a veces hasta me pregunto si alguien las tuvo jamás.

Alicia siguió sonriendo misteriosamente; y se miró la punta del zapato. Tenía unos pies pequeñitos, delicados, que eran su orgullo, y los llevaba muy bien calzados.

Después de una pausa, Alicia dijo algo que sorprendió a De Arco:

— ¿Le han interesado a usted mis confidencias acaso alguna vez?

— Me interesan ahora... Es muy misterioso estar con una persona durante años y que no nos cuente nunca nada.

La ortiga se dulcificó un poco. En la chimenea estaban encendidos unos leños; fuera de las ventanas, la luz había palidecido. El reflejo de las llamas le daba a Alicia suavidad y vida.

— No es cierto, De Arco. Usted conoce, desde el principio al fin, toda mi vida.

— Sí, señora...; descendiente de héroes y heroica e intachable siempre..., pura como un capullo cerrado. Todo eso lo sabemos y, ¿qué más?

— Me parece que le estoy dando pie para que se burle.

— ¡Pero si no me burlo!... Muchas veces he pensado eso; que eres como un capullo misterioso... Por eso te dije antes que parecías una niña.

Alicia miraba desconfiada los ojos brillantes de aquel hombrachón de cabellos blancos. Parecían burlones, la verdad; pero también tenían una chispa de ternura. Una débil oleada de calor la invadió recordando que años atrás, por una conversación de tal intimidad con este hombre, ella hubiera dado trozos enteros de su vida.

—Me siento viejo, Alicia. Me aburro, se me cae la casa encima, no tengo ganas de viajar... Mis sobrinos me miran esperando que de un momento a otro les deje la fortuna... Me siento un anciano achacoso sin tener edad para sentirme así. Sólo contigo me rejuvenezco un poco; me parece que hasta me consideras peligroso...

—Eso es una tontería.

—Bueno, pues tutéame de una vez, mujer... Hoy me sentía tan bien, que hasta se me había ocurrido invitarte a cenar en algún sitio.

Alicia se irguió.

—No acepto invitaciones de mis jefes.

—¿Ves tú...? ¡Eres una delicia!... ¿Se puede saber por qué?

—¿Es que me ha presentado usted alguna vez a sus amistades para que si nos ven juntos puedan pensar algo diferente que yo soy su amante de turno?

De Arco se reía sin chispa de disimulo.

—Hija mía..., ¡si estoy hecho un carcamal!... En cuanto a ti..., pensar que alguien pueda tomarte por... ¿Ves? ¡Me rejuveneces!

Alicia miró, muy seria, su reloj de pulsera.

—Tengo quehacer en mi casa; si no manda otra cosa, De Arco.

— Chits, quieta...; sí mando, sí mando... Quédese diez minutos más, señorita... Entonces, ¿no hay cena?

— Naturalmente que no.

De Arco adoptó una actitud de niño compungido.

— Entonces no podré declararte mi amor esta noche.

Alicia se sintió herida. Estaba bien segura de que De Arco no ignoraba el amor que durante años y años gastó inútil, silenciosa y abnegadamente en él; hay cosas imposibles de ocultar. Pero cualquier referencia a aquello, a la señorita Alicia le dolía como una bofetada.

— Está usted enfermo; pero abusa usted de mi paciencia con bastante mal gusto. Siento no poder quedarme ni un minuto más.

De Arco, con la punta del bastón, impidió que Alicia se levantase. Era muy cómico verla furiosa y desconcertada.

— Siéntate, insensata... Puesto que no me das lugar a hacerlo en otro sitio, ni con mayores preparativos, tengo el gusto de pedir ahora mismo tu blanca mano... Vaya, no es broma... Creo que es la mejor idea que se me ha ocurrido en la vida... Bien, ¿qué dices?

Alicia veía que era en serio. Notó que se ruborizaba. Le ardían las orejas. Algo le oprimía el pecho. No podía pensar. Al fin se rehizo.

— Está usted aburrido en esta enfermedad y se le ocurren locuras.

— ¿Por qué locuras?... Más de una buena amiga me ha aconsejado que me case. He estado demasiados años solo... Esta casa necesita una dueña... Y yo, tú lo sabes de sobra, también necesito quien me cuide y me atienda con cariño... A temporadas me convierto en un viejo medio inválido... No soy ninguna ganga... Quizá quedes pronto viuda. Pero te dotaré bien...

Aún sentía Alicia un desacompasado latir en su corazón; pero algo duro, frío, sustituía la impresión primera.

—No siga usted, De Arco. Ya sé que es usted millonario, y que detrás de su nombre pueden escribirse varios títulos. Ya sé que me considera usted tan insignificante que ni siquiera puede suponer en mí otra reacción que la de caer desmayada de felicidad a sus pies al oír una proposición de matrimonio...

—¡Cállate, estúpida!...

Nada más suave y calmoso, pero nada tampoco más firme que esta orden. Alicia quedó callada en seco.

—Lo único que me ha hecho pensar en casarme contigo y en que tú aceptarías es que sé muy bien cuánto me has querido y me quieres. Creo que no hay nada más importante para vivir juntos dos personas. Al menos a nuestra edad... Vamos, ¿qué dices?

Alicia miraba la chimenea sin verla. Se sentía mal. Le salió una voz muy débil.

—No sé... No puedo pensar nada... Usted me permitirá que lo piense... Tengo, tengo que consultar con mi madre...

Los ojos de De Arco volvieron a brillar de tierna y sonriente ironía.

—Es una respuesta muy tuya, Alicia... Consulta con tu mamá y mañana me traes la respuesta. ¿Te parece?

Alicia no sabía por qué se sentía tan absurda. Al llegar a la calle aún le daba vueltas la cabeza.

CAPÍTULO II

EL caserón de De Arco era enorme, un verdadero palacio que De Arco había recibido en herencia, junto con un título de marqués, poco antes de la guerra civil. De Arco deseó desde su infancia esta casa, perteneciente a una casi inmortal tía-abuela. La anciana se había negado siempre a vendérsela. La mujer de De Arco deseaba también el título de la buena señora; pero la pobre María Elena murió antes de que el título y palacio pasaran a poder de su marido.

—Sólo yo seré marquesa —se dijo Alicia.

En aquel momento tuvo que apoyarse contra los muros del caserón, porque sólo entonces empezaba a darse cuenta del alcance de aquella conversación con De Arco, que acababa de sostener, como tantas otras, junto a la chimenea del despacho de su jefe.

Era casi de noche. Un cielo violeta con nubes negras, con alguna tímida estrella, brillaba sobre la callecita antigua. En sordina se oía el rumor de la gran ciudad.

Le empezó a entrar una risita medio histérica en los momentos en que estuvo apoyada junto al muro. De Arco no hubiera reconocido nunca la carita de Alicia, pálida y con los ojos brillantes como los de una demente, debajo del ala de su sombrerito cursi.

Aquella tarde había sido, en cierto modo, la culminación de toda su vida.

Había conocido a De Arco treinta años antes, en efecto. Ella era una criatura asustadísima, tímida y humillada cuando llegó, con muchas y buenas recomendaciones, al despacho del jefe de una importante empresa. Ese jefe era De Arco.

Ahora Alicia recordaba... Nunca había olvidado la primera vez que vio a De Arco... o ¿no era la primera vez?... Lo que recordaba fue el primer día que él le habló, preguntándole cosas de ella misma.

— Usted no tiene aspecto de sufragista, Alicia; ¿por qué trabaja?

En aquellos tiempos era raro, o por lo menos más extraño que ahora, encontrar a una muchacha de buena familia en una oficina.

A ella la había contratado el secretario particular de De Arco, que era amigo de su familia... Había sido un favor; pero un favor merecido. Alicia hablaba inglés y francés; sabía escribir sin faltas en los dos idiomas, y desde la muerte de su padre, tres años antes, estudiaba con voluntad y paciencia mecanografía y taquigrafía. Era una personita muy capacitada.

— El sueldo no es mucho. Pero la empresa es segura.

La señorita encargada de aquel despacho de la oficina acababa de casarse.

— Es una gran oportunidad — le explicaron a Alicia.

Alicia estuvo un mes en el despacho antes de ver a De Arco, que estaba de viaje. Para el secretario, que la instruía en sus obligaciones, De Arco era una especie de dios del dinero y los negocios. Alicia lo imaginó los primeros días como un señor muy serio. Sabía que estaba casado y que tenía un hijo. En la mesa de su despacho estaba una magnífica fotografía de aquella mujer — joven y sonriente — y de aquel niño. A De Arco, Alicia no podía figurárselo.

— Es muy exigente, pero atento y bueno — le habían dicho.

No faltó una amiga de su madre que viniera a verlas a casa al enterarse de su nuevo empleo. Y después de los comadreos de esta señora, De Arco, en la imaginación de Alicia, fue joven, peligroso y atractivo.

— ¡Dios mío!... ¿Vas a dejar a tu hija en manos de ese hombre, con la fama que tiene?... Es un donjuán. Su mujer es una mártir; todo el mundo lo sabe... ¡Una chica tan joven como Alicia...!

— No creo que Robles diera a mi hija un empleo que no le conviniese; es amigo nuestro de muchos años. Por lo demás, si fuera necesario lo dejaría. Hasta ahora ella no conoce a su jefe...

Alicia había escuchado en silencio, como si no fuera con ella esta conversación. Al día siguiente fue preocupada al despacho; y los sillones de cuero, la mesa y hasta la gran fotografía de aquella señora joven con su bebé le parecieron cargados de misterio. Hacía años que la vida no había sido tan interesante para Alicia.

Alicia, volviendo hacia atrás la mirada, nunca se había confesado que su enamoramiento por De Arco había empezado ya antes de conocerlo, desde que las palabras de aquella visita de su madre desterraron de su imaginación la idea de un severo hombre de negocios, con la cabeza totalmente ocupada de cifras y por los datos de aquella maquinaria extranjera que se importaba en la casa y que se distribuían por las numerosas sucursales de provincias.

La idea de De Arco como un elegante caballero derrochador, guapo, infiel a su mujer, con la que —según supuso Alicia— se había casado por interés, le llenaba la imaginación, indignándola o intrigándola. Aquella desgraciada víctima, la señora de De Arco, que aparecía en el retrato del despacho con su niño, también la obsesionaba. No podía comprender que fuese tan bonita y risueña.

—De las fotografías no hagas caso —le dijo su madre en una ocasión—; los fotógrafos hacen lo que quieren.

El fotógrafo había hecho una obra de arte, sin duda, con la mujer de De Arco, que resultaba deliciosa. Pero Alicia entonces estaba convencida de que sólo las mujeres feas son traicionadas por maridos casquivanos... Ella, Alicia, estaba muy satisfecha de su carita correcta, de su talle delgado y sus cabellos rubios, muy finos... La mujer de De Arco era bonita, sin duda alguna, pero había cierta ordinariez en su nariz corta, en la boca grande que enseñaba al reír unos dientes perfectos, en la malicia de los ojos... Sin contar, claro está, que lo agradable del conjunto pudiera ser obra de un hábil retoque fotográfico.

—¿Te interesa la fotografía de la señora de De Arco, Alicia?

Alicia se había ruborizado hasta las orejas.

Robles, el secretario de De Arco, que la tuteaba porque era un antiguo amigo de su familia, había sorprendido a Alicia absorta en aquella contemplación. Alicia tenía la obligación de pasar un plumero sobre la mesa

de De Arco sin alterar el orden de sus objetos, cuando
ya las mujeres de la limpieza habían cumplido su faena;
por eso entraba en el despacho, y también para añadir
alguna vez algún dato al fichero.

—¿Es tan guapa esta señora?

—Sí; ya lo creo.

—Y ¿es posible lo que me han dicho de que su
marido, vamos... tiene historias con otras mujeres?

Robles estuvo considerando a Alicia, toda encar-
nada, tímida y atrevida a un tiempo.

—Mira, hija, el señor De Arco, como todas las personas conocidas, tiene enemigos. No hay que hacer
caso... Es un caballero; tú misma podrás darte cuenta
cuando lo conozcas.

—Es que me interesa mucho saber... Ya sabe usted,
don Luis, que mi familia preferiría morirse de hambre
a que yo tuviese contacto con cierta clase de personas...

Robles levantó las cejas.

—Conozco a tu familia y te conozco a ti, por eso
has venido a este despacho... Por lo demás, tú apenas
verás nunca al señor De Arco... Solamente algún día
que no esté yo, para la correspondencia en inglés.

Alicia, sin saber por qué, se quedó triste.

Si el amor es interés profundo, desvelo por alguien,
Alicia se sintió enamorada de De Arco antes de verle...
Y por primera vez en su vida estaba enamorada. Quizá
se debía esto a que jamás había tenido un pretendiente
real. A pesar de su bonita cara que hacía decir a su
madre que Alicia le recordaba a las hadas de los cuentos, Alicia, en su atavío, en sus maneras, procuraba pa-
recerse cada vez más a estas hadas, sin darse cuenta de
que iba resultando un poquito anacrónica para la vida
corriente.

Cuando Alicia conoció a De Arco, ya sabía muchas cosas de él, reunidas pacientemente en preguntas ocasionales, en la lectura de las crónicas de sociedad, en una caza paciente, laboriosa, cuidadísima, en la que ponía su vida entera.

Sabía que contra todas sus suposiciones primeras, De Arco no se había casado por interés de ninguna clase. De Arco era hijo de un indiano fabulosamente rico y de una señorita de la mejor aristocracia; aquel indiano se había casado ya viejo, y De Arco había sido hijo único y mimadísimo.

De Arco era un hombre gozador de la vida; pero al mismo tiempo cuidaba sus intereses, y éstos se iban multiplicando casi sin esfuerzo. Todo le salía bien... En cuanto a su matrimonio, no podía saberse si era cierto que la señora de De Arco había intentado dos o tres veces una separación.

En una antigua revista ilustrada, Alicia había encontrado, con profunda emoción, fotografías de la boda de De Arco. Había sido una boda sensacional. Había columnas describiendo el traje de la novia... De Arco parecía muy alto y esbelto en aquellas fotografías. Alicia soñó una noche que ella era aquella novia de ensueño con velo de encaje antiguo y diadema de brillantes.

Todo esto antes de conocer a De Arco... El día que él la llamó para dictarle una carta estaba tan emocionada que le temblaban las rodillas.

De Arco parecía simpático.

— No esté usted tan asustada, hija mía. ¿Cómo se llama?

Cuando ella le dijo su nombre él lo repitió con una chispita divertida en los ojos.

—Alicia, María Rosa, Laura, Quiñones y Álvarez de la Torre... ¿No es mucho para estar en una oficina? ¿Por qué trabaja?... Usted no tiene aire de sufragista.

Alicia estaba roja hasta las orejas, tiesa delante de su jefe, con un traje celeste, de falda con plisados y volantes y escote en forma de corazón. Se había apresurado a decir su nombre completo porque sonaba bien, porque tenía un afán inmenso e incomprensible de que De Arco no la considerara una mecanógrafa cualquiera, y hasta si fuese posible de que le besase la mano al despedirse.

La gran nariz de De Arco tembló indefinidamente molesta cuando advirtió que los ojos de Alicia estaban húmedos.

—A la muerte de mi padre hemos quedado arruinados. Tengo que ayudar a costear la carrera de mi hermano.

—¡Ah! Magnífico...

De Arco estaba algo inquieto con aquella joven mecanógrafa. Temió que si le preguntaba por su inglés ella llorase del todo, de modo que fue una cosa muy natural por su parte seguir preguntándole por su familia, por la profesión de su padre, y la edad del hermanito... en inglés. Alicia no se dio cuenta casi; le contestó en el mismo idioma con facilidad.

—¿Ha estado en Inglaterra?

—Sí, unos años. Papá era diplomático...

De Arco respiró. Después de mirar hacia su reloj disimuladamente, empezó a dictarle la carta comercial para la que la había hecho venir y Alicia cumplió perfectamente su cometido.

Así había transcurrido su primera entrevista.

Alicia, por la noche, lloró en su cuarto pensando que él, quizá, la había encontrado ridícula.

De Arco hizo unos comentarios muy chistosos sobre ella con su mujer, María Elena, y esto sirvió para reconciliarles de un enfado que habían tenido. Alicia no supo nunca que cuando unos días más tarde la señora de De Arco fue a la oficina, lo hizo solamente con la pura y simple curiosidad de verla. A ella aquella María Elena le hizo el efecto de una mujer brusca, de voz desagradablemente ronca, y empezó a comprender las infidelidades de De Arco, en caso de que fueran ciertas.

Fue algún tiempo más tarde cuando Alicia se vino a dar cuenta de que su vida estaba pendiente de De Arco de la mañana a la noche.

Soñaba con De Arco, hablaba de De Arco en su casa a todas horas. Siempre entraba en el despacho de De Arco ruborizada y temblorosa, y cuando él, después de cruzar dos palabras con ella, miraba con cierta impaciencia su reloj, Alicia sentía en esta mirada una profunda y desesperada humillación.

— Ten cuidado, hija mía... No te me vayas a enamorar del señor De Arco. Es un hombre casado, pero aunque estuviese libre no sería nunca para ti... No quiero verte sufrir.

Estas palabras de su madre cortando una de sus peroratas sobre De Arco, a Alicia le hicieron un efecto tremendo.

Ahora recordaba la escena, al cabo de tantos años. Estaba sentada a la mesa familiar, frente a su madre, junto al hermanito que la miraba con curiosidad. Con ellos estaba también la vieja y bondadosa abuela, que con su pensión contribuía al gasto de la casa. Y Alicia

que no se había atrevido a confesarse a sí misma que
estaba enamorada de su jefe, se sintió, de pronto, des-
nuda... Sí, una sensación espantosa, como si la hubieran desnudado en medio de la calle.

Su familia quedó asombrada cuando ella, rechazan-
do el plato que acababan de servirle, se echó a llorar
sin consuelo.

Tuvo una especie de crisis nerviosa en la que insultó
a su madre llamándola mujer odiosa y mal pensada.
Terminó, con los ojos ya secos pero enrojecidos y brillantes, declarando a su familia que jamás había pensado en De Arco como otra cosa que como el jefe de
su oficina, pero que en caso de casarse, sólo un hombre
de la categoría de De Arco la podría satisfacer, puesto
que ella no se consideraba inferior en nada a la señora
de De Arco, ni a otras muchas brillantes damas de la
sociedad, que habían surgido de la nada sin haber usado nunca apellidos tan ilustres y sonoros como los suyos, y que si su madre se creía rebajada por ser pobre,
ella, Alicia, no creía, por este hecho, haber perdido la
más mínima categoría.

Aún se le contraía el corazón al recordar aquel día.
Aun le parecía sufrir como había sufrido entonces.

Desde aquel momento su familia conoció una Alicia
distinta. Una muchacha siempre en guardia, como si
alguien quisiera matarla o herirla, apenas se rozaba el
nombre de De Arco. Insensiblemente su humor se agrió,
sin que ella se diera cuenta de este fenómeno.

"Me reconcentraré. Siempre fui solitaria y recon-
centrada."

En aquellos momentos en que estaba apoyada en el
muro de la casa de De Arco, Alicia se vio a sí misma
con cierta ternura, encerrada en una vida donde la

fantasía tenía mucho que hacer... Muy poco las palabras.

Había pasado años coleccionando sonrisas de De Arco, intentando adivinar sus gestos, sus pensamientos... y también recogiendo datos, no siempre agradables, de su vida.

Tenía la obsesión de aquella mujer suya, que le hacía desgraciado, sin duda alguna, ya que él buscaba aturdirse y cuando se puso tan enferma y cuando al fin murió, Alicia se había aterrado de la maligna alegría que la había invadido al enterarse. Esta alegría le dio espanto y remordimientos. Para castigarse por ello, tuvo la ocurrencia de vestirse de luto. Un día De Arco lo notó.

—¿Por quién lleva luto, Alicia?

Ella se fijó en que De Arco ya no estaba enlutado, cuando hizo esta pregunta. Se sofocó mucho.

—Por un pariente lejano. Ya me voy a quitar el negro.

—Le sienta bien.

"Tonta, tonta"... Así se había llamado a sí misma después de esa conversación... "Deberías haberle avergonzado diciéndole la verdad..." Él también la había avergonzado a ella, en muchas ocasiones había sido indelicado hasta la crueldad...

Alicia recordó la muerte de su hermanito. Aquella esperanza que se acababa en su casa y que era una verdadera tragedia para su madre... Ella, en medio del duelo, sólo había estado pendiente de una visita de De Arco... No vino, pero mandó una tarjeta y una corona de la que ella robó una flor... Robles presidió el entierro en nombre del jefe.

Alicia al volver a la oficina sólo tenía la obsesión de

dar las gracias a De Arco por sus atenciones. Algunas veces él prolongaba con ella una charla de cierta intimidad que a la muchacha la hacía feliz. Antes de salir de su casa se miró al espejo, encontrándose muy bonita con su cara adelgazada y sus ojeras...

Estaba segura de que aquel día De Arco hablaría con ella. Era inevitable y lógico que ocurriese así.

Al verla entrar la miró, sorprendido.

—Hace días que no venía, ¿verdad?... ¿Ha estado enferma? La he echado de menos; Robles es torpe, comparado con usted...

—Creí que sabía la muerte de mi hermano.

—¡Ah! ¡Cuánto lo siento! De veras... Me olvidé completamente...

Nada más. Para Alicia fue suficiente. Se quemó en un sufrimiento vivo y punzante que casi le arrancaba lágrimas... Al llegar a su casa tiró la flor de la corona que no había encargado De Arco, que había sido solamente una atención de Robles, cargada a los gastos de la casa... Alicia, para De Arco, fue durante mucho, muchísimo tiempo, un mueble más de oficina...

Alicia suspiró. Se dio cuenta de que estaba allí parada, junto a los muros de la casona, y de que tenía frío. Venía un airecillo húmedo que arrastraba nubes negras por el cielo. Aquélla era una noche como tantas del otoño y, sin embargo, única y distinta en la vida de Alicia.

Como en un sueño, llegó a calles iluminadas, a la boca de un "Metro"... Fue trasladada entre una masa humana, que se volcó en un barrio tranquilo, de calles simétricas... Todas las casas eran parecidas envueltas entre sombras suaves. De cuando en cuando un farol o un portal iluminado... Era un barrio bueno, aunque el piso en que Alicia vivía fuese muy modesto. La distinción del barrio les permitía alquilar una habitación a muy buen precio... Una habitación que, por otra parte, les hacía mucha falta, porque el pisito era pequeño...

Subió en el ascensor y, aturdida, llamó a la puerta, sin pensar en su llavín. Hizo un gesto de contrariedad porque no quería encontrar en seguida a la madre. Necesitaba prepararse de algún modo para dar aquella noticia. Sacó apresuradamente el llavín olvidado y lo introdujo en la cerradura... "Tengo que dar la noticia de una manera natural... No tiene tanta importancia como para soltarla en seguida... No sucede nada extraordinario. El que yo me case con De Arco es muy natural..."

Se animaba con estas frases pronunciadas a media voz, porque, en verdad, las manos le temblaban mucho. Había soñado demasiadas veces en dar la noticia de su boda.

—Mamá, me caso con un marqués...

Sobre todo, el título. Desde que De Arco tenía un título, ella había decidido casarse con un aristócrata o quedarse soltera.

Sabía que su madre consideraba estas ideas suyas como propias de una cabeza trastornada... Quería saborear su triunfo.

Se dio prisa a abrir la puerta. Pero su madre ya había salido de su refugio, el cuarto de estar-comedor para atender a su llamada, y la encontró en el pasillo.

—No me imaginaba que fueses tú. Como nunca llamas...

Alicia le rozó los cabellos en un beso ligero, descuidado, y se metió en la alcoba, cerrando la puerta.

Era un desahogo estar allí unos minutos sola. La madre intentó una tímida llamada.

—Un momento, mamá. Voy a desvestirme.

Había en la voz de Alicia una irritación, bien conocida por la señora. Alicia estaba desesperada por no tener un cuarto propio, por tener que compartir con su madre la gran cama de matrimonio, cediendo a un huésped la única alcoba libre. Doña Ana no comprendía este sentimiento, y, a sus protestas de que no la dejaba sola nunca, replicaba que a ella, en cambio, le parecía que Alicia estaba demasiado sola, aunque estuviese con gente. Ahora llegó su voz desde el otro lado de la puerta.

—Sólo era para preguntarte si pediste un sombrero prestado para la boda de María Teresa...

—No... Y no tengo ganas de ir a esa boda. Se casa con un pelagatos.

Silencio. Alicia adivinaba el suspiro de su madre, y sonrió.

Alicia podía ser ahora la mujer del vecino, que tenía cinco años cuando se quedó viudo, y la pretendió, y ya se había casado otra vez, naturalmente... Y hasta tenía dos niños nuevos del segundo matrimonio. Podía haber sido la mujer de un empleadito bueno y tímido, más joven que ella. No lo era, gracias a Dios, en contra de todos los deseos de su madre.

Mientras se ponía el traje de casa, oyó que la buena señora se iba hacia su cuarto de estar. Unos minutos más tarde la siguió ella, y se detuvo en la puerta contemplándola.

Alicia sintió algo extraño. Le parecía que hacía años que no veía a su madre, aunque, naturalmente, todos los días del mundo comía y dormía y hablaba con ella, y todas las tardes la encontraba junto a la camilla, cosiendo una labor eterna, con la dulce cara inclinada y los cabellos blanco brillando a la luz de la lámpara.

— Mamá...

Doña Ana levantó sobre las gafas los suaves ojos oscuros.

— ¡Alicia! Estás muy guapa hoy; ¿sucede algo bueno?

Si Alicia no veía a su madre, doña Ana no hacía otra cosa que mirar a Alicia. Conocía sus gestos, sus cansancios, su falta de interés por la vida, mucho más que la misma Alicia.

— Mamá, De Arco me ha pedido que sea su mujer...

Doña Ana dejó la labor sobre la mesa y quedó unos segundos como petrificada mirando a su hija. Luego se quitó las gafas y secó dos grandes lágrimas, mientras movía la cabeza, como diciendo que no a una idea loca.

— ¡Hija...! Esto es un premio de Dios a tu bondad. Ahora ya puedo morirme.

Alicia se fue a sentar también a la mesa camilla, frente a su madre. Apoyó los codos en el tablero y la cara entre las manos, pensativa, con los ojos brillantes... Mientras la madre tenía mucho que hacer con el pañuelo, secándose las lágrimas y moquiteando, ella, de nuevo, había dejado de verla.

— Aún no le he dado una respuesta... Dije que quería consultar contigo... De Arco tendrá que venir a pedirme aquí...

Alicia, contra todo lo que se había propuesto, hablaba febril, nerviosísima. Al decir: "De Arco tendrá que venir aquí", echó una ojeada a la habitacioncita modesta, y le pareció que se ahogaba. En aquellos muebles viejos y feos no quedaban ya huellas del antiguo esplendor que a Alicia le gustaba recordar... No era aquel un salón a propósito para una petición de mano... Tal como Alicia concebía una petición de mano... (La anciana duquesa pariente de De Arco; De Arco mismo; doña Ana, con traje de terciopelo negro; ella, Alicia, deliciosamente vestida, soportando con elegancia el examen de la vieja aristócrata, y por fin, su aprobador... "Hija mía, eres un encanto: no sé dónde te ha descubierto este sobrino mío; pero tengo que darle la enhorabuena...")

La realidad, en aquel momento, era doña Ana, sonándose ruidosamente frente a ella, vestida con una bata blanca y negra; gruesa y cansada.

—Un cuento de hadas, un cuento de hadas... Estoy deseando que llegue Daniela para contárselo.

Alicia enrojeció.

—¿Daniela? ¿Qué tiene que ver Daniela?

Daniela era la huéspeda, una muchacha, en el concepto de Alicia, insoportablemente ordinaria.

—Se alegrará... ¡Es tan buena chica!

La última frase de doña Ana había sido dicha con timidez, porque en la cara de Alicia se marcaba un desprecio... y, sí, un enfado tan grande... A veces Alicia resultaba muy rara... Gracias a Dios se iba a casar y se le pasarían estas rarezas de carácter... Y ¡qué boda iba a hacer...!

—A Daniela, ni una palabra, mamá. Estoy harta de que intervenga en nuestros asuntos... No es una persona de nuestra clase. No sé cómo la sufres. A Daniela se le dirá dentro de unos días, cuando haya de advertirle que busque otra habitación... Te ruego que tengas esa consideración conmigo, y no hagas gestos... Toda la vida he tenido que estar soportando esos movimientos de cabeza cuando te recordaba quiénes somos... Si fuera por ti, sería yo hoy día la mujer del vecino, no lo olvides...

—Eso sí que es verdad...

—Claro que es verdad... Y también sería verdad que en vez de empeñarlo habríamos vendido el solitario de papá...

—Eso, hija mía, ¿qué hubiera importado?

—Será mi regalo a De Arco el día de la petición.

Doña Ana levantaba hacia Alicia una ancha cara grisácea, un poco alelada.

—Tú piensas en todo, hija mía... Es maravilloso.

CAPÍTULO III

De Arco aquella noche cenó solo. A De Arco no le gustaban las comidas solitarias, y casi siempre tenía alguien a su mesa. Últimamente su compañía se había ido reduciendo a unas cuantas mujeres, media docena de amigas frivolonas y charlatanas, supervivientes de otra época suya. Restos de naufragio, como las llamaba él. Buenas amigas, a las que la vida había ido dejando solitarias y a las que no les importaba perder una partida de cartas para acompañarle en pequeñas tandas. A De Arco no le gustaba jugar a las cartas, y esto, según él pensaba, era lo que en los últimos tiempos había empezado a convertirle en un desplazado entre sus conocidos.

A los "Restos del naufragio" las llamaba también "sus pretendientas" o "sus viudas", porque tenían este estado y hasta parecían haber nacido así... Sin embargo, De Arco sacaba a relucir a menudo en su conversación a los difuntos maridos y hasta hacía chistes un poco raros, recordándolos mal y atribuyendo a alguna de las viudas un recuerdo imperecedero del difunto esposo de alguna de las otras... Luego, cuando se quedaba solo junto a la chimenea, llegaba el momento en que el fuego, ya muy pasado, parecía animar las fac-

ciones de su mujer, María Elena, que desde el gran
cuadro en que aparecía vestida de amazona le reprochaba aquellas pullas a las viudas:

— Estás perdiendo toda tu gracia, hijito... En cuanto elijas a una de ellas, las otras te abandonarán de
todas todas... Y ya sería hora de que eligieses y senta-
ses la cabeza.

Aquella noche, De Arco dio la noticia al retrato de
su mujer.

— Ya he elegido... ¿Qué te parece?

— Encuentro que empiezas a chochear, pobrecillo.
¿Qué quieres que haga en esta casa esa criatura sin
gracia...?

— Pues hija, cuidarme... Y, además de eso, apren-
der a vivir... He pensado en que es una criatura sin es-
trenar, algo así como si me casase con una niña, sin
los peligros de casarme con una niña... Va a ser algo
nuevo viajar con ella, enseñarle a vestirse, hacerla dis-
frutar de comodidades que no conoce, y, en fin, descu-
brir su intimidad, tan cerrada; oír la confesión del cariño que me ha tenido toda la vida, incluso en aquellos
tiempos en que tú, al hacer una de las raras visitas a mi
despacho, me dijiste que era la secretaria ideal para
mí, por que, sin ser fea, era la encarnación viviente del
"antiatractivo"...

— Y es cierto.

— Sí, es cierto; pero ahora, no sé por qué, su sosería
me gusta y su dulzura y sus excelentes dotes de enfermera...

— ¿Cómo sabes que tiene esas excelentes dotes?

— ¡Mujer!... Me lo imagino. Es una criatura ab-
negada, eso no me lo vas a negar...

Un silencio.

A María Elena le habían gustado mucho aquellos silencios en los que envolvía a su marido con una brillante mirada color de oro. María Elena había sido muy burlona.

Ahora estaba delante de él, victoriosa, en plena juventud, con aquel cuerpo ágil, con aquella media sonrisa en la bonita boca y un absurdo paisaje detrás de ella. De Arco suspiró.

—Nosotros no fuimos felices, a pesar de que tú eras la encarnación del atractivo femenino o por lo menos estabas convencida de ello...

—Es mejor ser desgraciados como fuimos nosotros, que feliz como piensas serlo ahora.

—Tú eres muy joven, por eso no entiendes... Acuérdate de tu última enfermedad. Entonces me reprochabas mi egoísmo, mi afán de vida, eso que parece que voy perdiendo...

—Sí, te portaste como un cochino.

—Estoy arrepentido...

—Bueno, si ese nuevo matrimonio lo tomas como una penitencia de tu invención, no tengo nada que decir.

—Contigo no se puede hablar.

De Arco, con el ceño fruncido, se dedicó a encender un pequeño puro. Le habían prohibido el tabaco; pero no solía hacer caso a esta prohibición.

En la casa había un gran silencio, un silencio extraordinario... Si De Arco no sintiera junto a él el crepitar de los leños en la chimenea se habría sentido muy solo y muy triste. Siempre con el ceño fruncido trató de evocar a Alicia. Pero Alicia era un fantasma difícil. La veía con un traje de polisón, cosa bien absurda, la verdad, y que provenía de una broma de María Elena.

— ¡Tienes una secretaria absurda! Remonta tu oficina a los tiempos del polisón... Cualquier día, cuando abras la caja de los cigarros, la encontrarás llena de hojas de rosa secas...

¿Cómo explicarle a María Elena que hacía ya muchos años que Alicia no era para él tan ridícula? No sabía de dónde vino esto... Quizá fue desde aquellos días, durante la guerra, cuando estuvo escondido en su casa, o luego, cuando ya la había convertido en su secretaria particular; y una tarde, estando con ella, le trajeron a su hijo con la cabeza partida en un accidente... En aquellos momentos, Alicia fue perfecta. Por una vez perdió su rigidez. No le importó llorar abrazada a él...

— La haré feliz. A ella la haré feliz, María Elena.

La figura del cuadro permaneció muda, con su media sonrisa. De Arco suspiró, bostezó, y al fin se quedó dormido junto al fuego.

En un reloj dieron once campanadas. Después, fuera de los gruesos muros, sobre las calles antiguas, sobre el fresco jardín interior, empezó a llover.

A De Arco aquella lejana lluvia se le metió en el sueño, y empezó a ver imágenes de calles lluviosas, escaparates, encendidos letreros luminosos; todo en un año que parecía cercano: el año 35. Todo reflejándose en los sueños húmedos, todo cortado por cortinas de agua. De Arco iba en su automóvil, el Rolls que tenía entonces. Iba solo. Aburrido se entretenía en mirar a las gentes de las aceras, y las veía apresurarse, engancharse con sus paraguas, sujetarse las ropas, que levantaba el viento... El vehículo iba muy despacio, y, al fin, embotellado en el tráfico tuvo que detenerse. En este momento, De Arco vio la figura de una muchacha que luchaba con su paraguas. El paraguas se le había vuelto al revés y, para colmo, una ráfaga de aire le llevó el sombrerito. Parecía la imagen de la desolación. De Arco dio unos golpecitos en el cristal para advertir al chofér. Abrió la portezuela y llamó a Alicia.

Antes de que ella, terriblemente aturdida, se diese cuenta de lo que pasaba, De Arco la tenía a su lado, completamente empapada de lluvia. Tenía una cara joven y gozosa, y él tuvo ganas de besarla, más que por nada, por curiosidad de su reacción... Pero no lo hizo; fue tan tierno y caballeroso como ella esperaba y la acompañó a su casa, y hasta subió a su piso y conoció a una señora muy gruesa y a un gato de angora blanco... Y De Arco sintió una profunda tristeza en aquel piso y tuvo la ocurrencia de que si él quisiera, aquellas habitaciones se transformarían por arte de magia, y aquellas vidas también. Se le ocurrió una idea estúpida. "¿Qué cara pondrían estas mujeres si yo, ahora mismo, en este mismo momento, pidiese la mano de Alicia y me casase luego con ella?"

Esto era un sueño, pero el sueño de algo que había sucedido alguna vez. De Arco pugnaba por despertarse, por decirse: "Esto me ha pasado a mí, me pasó hace muchos años..."

Luego, De Arco se vio andando por una calle gris, polvorienta, en un día de terrible calor... De Arco miraba angustiosamente todas las caras de aquella calle, y tenía la sensación de que eran iguales. El sol botaba contra las paredes haciendo daño en los ojos.

El cielo parecía gris, el asfalto gris. De Arco tenía miedo en aquellos momentos. Sentía el sudor corriendo por su cara y pegándole la camisa al cuerpo. Llevaba dos días sin afeitarse. No podía continuar así... Necesitaba un refugio desde donde avisar a una Embajada amiga para que vinieran a buscarle con ciertas garantías. Sabía que su casa había sido saqueada.

A De Arco se le había ocurrido, de pronto, pensar en el abnegado amor que sentía por él su secretaria, y le pareció un puerto de salvación aquel pisito que había visitado una tarde de lluvia. Con una claridad desesperada recordó la calle; el número, no... No recordaba el número. Echaba ojeadas disimuladas hacia los portales. El instinto le decía que no era allí, ni allí, ni en aquel otro...

Fue una pesadilla aquella búsqueda. Una pesadilla que años más tarde a De Arco se le repetía en sueños siempre que se sentía enfermo... Y de pronto, encontró el portal. No se metió en él en seguida. Esperó a que no hubiese nadie. Esperó a convencerse de que la portera no andaba rondando... Esperó los minutos más largos de su vida.

Alicia misma le abrió la puerta.

—¡Dios mío!... ¡Qué suerte que se le haya ocurrido venir!...

Tenía los ojos llenos de lágrimas, y De Arco vio en aquellos ojos algo muy hermoso, algo que era como un capullo cerrado abriéndose, algo que él olvidó luego, pero que no había que dejar perder.

De Arco dio una cabezada y se despertó con sobresalto.

Tropezó con los ojos maliciosos de María Elena.

—Ya ves, hija; no he dormido. He estado recordando...

María Elena no contestó.

Él se levantó con trabajo.

—Sí, hijita... Tengo que abrir ese capullo, esa flor

fresca y pura que me ofrece el destino... para alivio de mis achaques.

—Eres un viejo tonto —susurró al fin María Elena, en el momento en que él salía de la habitación para marcharse hacia la cama—. Un viejo tonto... y cursi.

CAPÍTULO IV

DESPUÉS de la cena ocurrió algo que era ya una costumbre. En casa de Alicia sonó el timbre del teléfono, y Daniela, como siempre, se levantó disparada. Daniela tenía veinticinco años y un novio que la llamaba todas las noches.

Aquel día el timbre del teléfono sobresaltó no sólo a la huéspeda, sino a Alicia y a su madre. Alicia se puso en pie.

Alicia había sentido un apresurado latir del corazón que casi la enfermaba. Continuó en pie hasta que las gozosas exclamaciones de Daniela, que llegaban a través del pasillo, le hicieron comprender que debía sentarse de nuevo.

— ¿Esperas que él te llame? —susurró doña Ana.

— Es lo menos que puede hacer.

— Tal vez esta noche no quiera... Como tú dijiste que querías pensar el asunto...

Doña Ana se sentía intensamente feliz. Le parecía que en toda su vida no se había sentido tan feliz como esta noche. El hecho de que De Arco se casase con su niña era algo inmenso, una felicidad tan desorbitada, que casi no llegaba a abarcarla; pero sobre todo, y como algo más inmediato, sentía esta dulzura inaudita de estar compartiendo un secreto, de ser un poco cómplice de Alicia de poder hablar confidencial y dulcemente con ella... Estaba deseando que la huéspeda se fuese a acostar o retirarse ella misma con Alicia a la alcoba común y charlar, charlar...

Miraba enternecida aquella cara de rasgos tan finos y dulces, que ahora aparecía empalidecida y excitada. Aquella carita en otros tiempos dejaba transparentar todas sus emociones; pero hacía años y años que había dejado de pertenecer a su madre... Últimamente, Alicia se había convertido en un ser agrio, irónico. Ella no se lo reprochaba, la compadecía de todo corazón y, a veces, hasta le tenía miedo.

Doña Ana se había ido acostumbrando a hablar con su hija un número contado de palabras cada día. Darse los buenos días, besarse como cumpliendo un rito, recomendarle ella que se abrigase al salir de la oficina si hacía frío, y Alicia a su madre que no trabajase mucho... Nunca se podía tocar un tema íntimo. Eso parecía producir heridas y resentimiento. Durante la comida del mediodía, cuando no estaba Daniela, surgían problemas pequeños, sórdidos, siempre los mismos, debidos a la escasez de dinero.

—Hija, debías pedirle un aumento de sueldo al señor De Arco; te paga lo mismo que antes de la guerra.

—No puedo pedir nada a una persona que me debe un favor... Si hablo de la guerra podría pensar que trato de cobrarle los días que le tuvimos escondido en casa.

Doña Ana suspiraba a estas sutilezas de Alicia.

—Debería salir de él...

—Él tiene muchos defectos, pero es un caballero. Tampoco quiere ofenderme ni pagarme lo que no se puede pagar.

— Hija, ¿no será sencillamente que no se da cuenta? ¡Si tú indicaras algo…!

Alicia tuvo una especie de ataque de nervios la última vez que doña Ana le dijo algo de esto, y la pobre señora no se atrevió a insistir. Sólo cuando a Alicia se le presentó la ocasión de un nuevo trabajo muchísimo mejor retribuido, doña Ana volvió a hablarle, con una tímida esperanza.

—Yo no te digo que dejes a De Arco, pero que le indiques que te han ofrecido ese nuevo trabajo y lo que te dan por él…; yo creo que en eso no hay indelicadeza alguna…

Alicia se había puesto hecha una furia. A doña Ana le pareció que no era ella, sino un demonio que a veces asomaba a sus ojos, el que hablaba.

— ¿Es que te has creído que tengo quince años aún para no saber por mí misma lo que tengo que hacer? ¿O es que piensas todavía que soy una egoísta porque te he dedicado mi vida y no te he dado ni un solo motivo de disgusto? He sabido cumplir con mi deber como pocas personas. He salido adelante siempre; cuando has tenido necesidad de una medicina, yo he salido a buscarla; cuando te ha hecho falta un vestido, lo has tenido; tenemos comida en la mesa todos los días… Si todavía crees que soy una mala hija porque no te procuro más comodidades, si crees que es mi deber, me despediré de De Arco sin más explicaciones; pero no le hablaré de dinero, ¿entiendes? Y si me despide, aunque me ofrezca todo el oro del mundo, no me quedaré con él otra vez… Ya no soy un comerciante. Vengo de una familia donde el honor y la palabra son lo primero, y no tengo más que una palabra, ya lo sabes...

Este discurso terminó con sofocos, palpitaciones y temblor nervioso otra vez. Doña Ana, aterrada, se batió en retirada para siempre y cometió la cobardía de desahogarse más tarde con Daniela, la huéspeda, que era una buena chica.

Ella la confortó comentando que los enamoramientos imposibles son como enfermedades malas que trastornan a las personas.

— Hay que tener paciencia y nada más, créame a mí, que, aunque soy joven, sé mucho de la vida. Mire, en donde yo trabajo hay una pobre señorita que está histérica por algo parecido a lo de su hija, pero a ésta le da más trágico. Lleva al cuello una botellita con veneno y amenaza bebérselo delante de nosotras cualquier día... Una vez lo hizo...

— ¿Por qué te ríes, hija?

— Porque yo había podido cambiarle el veneno por agua, y no le pasó nada... Pero creo que ella lo sabía y que por eso lo bebió... Cuando las personas están tan desquiciadas hay que dejarlas y ya está.

Doña Ana se sintió consolada y empezó a encariñarse mucho con aquella muchacha ordinaria, lista y simpática que era su huéspeda. Cada vez que "el demonio" de Alicia aparecía, lo comentaba con ella; pero apenas su hija estaba un día más cariñosa con ella, la pobre doña Ana sentía unos remordimientos terribles. ¿Qué habría dicho Alicia, que tan a disgusto toleraba en casa a la buena de Daniela, si supiera que esta criatura sabía secretos suyos, que ella guardaba hasta de su propia madre? "El demonio" habría aparecido en todo su esplendor, doña Ana habría sido fulminada.

— Y con razón, Dios mío, con razón; soy una vieja charlatana.

Así pensaba algunas veces la pobre señora. Así pensaba esta noche, mientras Daniela hablaba por teléfono con su novio, y ella sentía a su hija humanizada, muy cerca de su vida; ahora que aquel amor había dejado de ser un tema humillante al convertirse en un noviazgo. Sin embargo, ¿no hubiera sido muy agradable llamar a Daniela, contarle todo y hasta pedir por teléfono al bar de enfrente una botellita de vino y celebrar el acontecimiento? Casi iba a proponerlo cuando Alicia dijo bruscamente:

— No puedo soportar la voz de esa mujer, mamá... Estoy deseando perderla de vista... Tú tienes por ella una debilidad inexplicable.

Doña Ana enrojeció como una niña.

— ¡Yo...! Bueno, ¡estoy tan sola siempre...! Y ella es bondadosa... Será de las personas que se alegren con tu boda.

Alicia hizo un gesto entre sorprendido y despreciativo para dar a entender que la opinión de Daniela le tenía sin cuidado.

La conversación telefónica terminó, y apareció la huéspeda con su cara alegre.

— Me voy al cine. ¡Buenas noches!

En aquel momento empezó a llover, se oyó un repiqueteo en los cristales de la ventana; luego el gargotear de las cañerías en el patio. Se oyó el portazo de Daniela al salir, y doña Ana no se atrevió a gritarle que cogiese el impermeable.

— No tendrás celos de Daniela porque yo sea cariñosa con ella, ¿verdad, niña mía?

Alicia se había puesto de pie y recorría despacio la

pequeña habitación, como si estuviese enervada, pasaba la mano por los viejos muebles tan conocidos...

—¿Celos?

Se volvió y tropezó con la mirada húmeda de doña Ana. ¡Pobre madre!... Ni siquiera pensaba en ella en este momento... No pensaba nunca en ella, ésta era la verdad, aunque todo el mundo la admirase por haberle sacrificado la vida... Se sintió enternecida, reblandecida. Sin saber cómo ni por qué, hizo algo, un gesto que había sido natural en ella cuando era una chiquilla. Se arrodilló junto al sillón de la anciana y cogió sus manos, besándoselas.

—Mamá... A ti no te importaría, ¿verdad?, desprenderte de esto..., de todo esto para que yo fuese feliz, ¿verdad?

Alicia parecía seguir el hilo de una idea misteriosa que la ocupaba hacía rato.

—¿Desprenderme de qué, hijita? No te entiendo.

—De todos estos muebles, de todo lo que hay en la casa, si es preciso. Venderlo...

—Claro que no me importaría... Pero no entiendo por qué lo dices.

—He estado pensando en mi boda y no quiero casarme con De Arco como si fuese una pobre cenicienta... Eso no... Me ha humillado mucho toda la vida para consentirle aun eso.

—¿Te ha humillado? Nunca me lo dijiste.

—Bueno; escúchame, mamá... Si es necesario vendemos todo; pero yo quiero un buen equipo, quiero vivir en el Ritz las últimas semanas, quiero que avisemos a nuestro primo el conde para que me apadrine...

—¿A nuestro primo el conde?

La voz de doña Ana salió un poco temblorosa. Alicia hablaba ahora como una posesa. Doña Ana no recordaba tener ningún primo conde. Temió que su hija se hubiera vuelto loca. Fue un pensamiento frío como la hoja de un cuchillo el que recorrió a la anciana de arriba abajo, como si la partieran en dos... Alicia tenía los labios secos, los ojos brillantes... Hasta estaba un poco despeinada... Había un pavoroso silencio en todo el pisito, tan sólo detrás del rumor de lluvia que parecía aislarle del resto del mundo.

—Sí, nuestro primo el conde; no he dicho ningún disparate. ¿Por qué me miras como si estuviese loca?

"El demonio" de Alicia estaba a punto de aparecer detrás de sus ojos... La señora se tapó la cara con las manos.

—No me hables así... Yo no recuerdo ese pariente...

Había algo, una nota asustada, falsa, en la voz de la madre que hizo reaccionar a Alicia.

—Bueno —contestó—, quizá no sea conde; pero su hermana está casada con un conde, me refiero a don José Vélez, el magistrado... Siempre hemos conservado su amistad; su mujer es prima carnal mía, sobrina del pobre papá...

Alicia daba estos pormenores de mal humor, asombrada de lo obtusa que resultaba la madre en comprender... Se olvidaba ahora de que en el mundo de sus pensamientos no había entrado nunca su madre, y sus pensamientos habían sido, durante años, fantásticos diálogos con De Arco, en los que: "Mi primo el conde", tenía mucho que ver...

—¡Ah, se trata de Pepe y María Teresa...!

Ésta era la normalidad... Doña Ana empezó a sentirse mejor.

—Hija, yo haré todo como tú quieras, lo que tú

quieras, con tal de verte contenta; pero casándote
tú con un hombre tan fabulosamente rico como dicen
que es ese De Arco, ¿para qué vamos a preocuparnos
por los gastos de la boda? Él ya sabe que tú no tienes
nada...

Alicia se había levantado del suelo. Se acercó a la
ventana. El estrecho patio de la casa estaba detrás de
los cristales, pero Alicia no podía verlo.

—¿No tienes orgullo, mamá?

Doña Ana volvió a quedar desconcertada... No, ella
no tenía orgullo, ¿por qué había de tenerlo? Estaba
harta de oír hablar a Alicia de orgullo y de delicade-
za. Ella no tenía mucha inteligencia, no alcanzaba a
coger los pensamientos de su hija. Toda aquella conversación estaba siendo muy distinta a como se había
imaginado.

—Yo no tengo más que un orgullo: haber vivido
siempre honradamente... ¿Para qué más?

Alicia sonrió amargada.

—Eso en el mundo de De Arco no vale... Y yo
quiero entrar en ese mundo con todos los honores. No
lo olvides... He padecido mucho en mi vida... Me han
ignorado... él me ha ignorado, como si yo fuese un
mueble, una cosa cualquiera... En un momento de abu-
rrimiento me hubiera hecho su querida, creyendo hacerme un gran favor... Pero yo he sabido demostrarle
mi desprecio... Yo...

Se interrumpió.

—Tú no entiendes estas cosas, mamá...

Doña Ana, desolada, negó con la cabeza. No entendía.

—Toda la vida he estado oyendo hablar de ese
caballero de De Arco como de una especie de santo, o

no sé de qué. Hoy te pide que te cases con él, y me cuentas que te humilla... Yo no sé qué pensar.

—Lo que no quiero es que crea que voy a caer en sus brazos así como así... Ahora mismo, esta noche, se siente tan seguro que ni me ha telefoneado...

Doña Ana sintió como una especie de claridad ante aquellas sombras y aquellas angustias.

—Bueno, bueno... ¿Eso es?... A lo mejor mañana te manda un ramo de flores para cuando te despiertes... Al menos eso hacía tu padre conmigo, ya te lo he contado muchas veces...

Por la cabeza de Alicia pasó como un relámpago la idea de que ella no amaba, sino que aborrecía a De Arco. Rechazó el pensamiento, angustiada. Dijo que se iba a acostar.

Un rato más tarde, en la cama, abrigadas las dos por la sábana y las mantas comunes, envueltas en la misma oscuridad, doña Ana se dio cuenta de que Alicia lloraba, como en los peores tiempos, procurando que ella no lo notase.

Esto acongojó a la madre extraordinariamente.

—Niña...

En la profunda oscuridad, doña Ana notó que la cama crujía bajo la sacudida nerviosa del cuerpo de Alicia. Su voz salió en un chillido que a la madre la puso los pelos de punta.

—Déjame, ¿lo oyes? Déjame... Estoy harta de que me espíes... ¡Déjame!

Doña Ana tenía los ojos muy abiertos. Oía el tictac de un pequeño despertador, oía la lluvia en el patio, oía los apagados sollozos de Alicia. La idea que tuvo poco antes, cuando oyó hablar de su inexistente primo el conde, empezó a meterse, insidiosa, en el cerebro de la pobre señora... ¿Estaría ella viviendo con una loca? ¿Se habría vuelto loca su pobre hija? ¿Y si no existiera tampoco aquel noviazgo con De Arco? ¿Y si todo fuese una fantasía de aquella desgraciada hija suya?

Doña Ana no se atrevía a respirar mientras la idea trabajaba en su pobre cabeza, martilleaba, dolía... Y le producía sudor frío.

Alicia, a su lado, aborrecía a De Arco.

—Me ha dejado en ridículo. Otra vez me ha dejado en ridículo a los ojos de mi madre... Está tan seguro de mí que ni siquiera se ha molestado en llamarme, como cualquier novio haría... Como hace el mequetrefe ese que acompaña a Daniela, sin ir más lejos... Cree que tengo bastante con que se digne pedirme un matrimonio que a él conviene... Ha olvidado quién soy... ¿Flores?... ¡Si mandase flores mañana!... Y ¿qué menos puede hacer?

Doña Ana no se podía aguantar. Su voz sonó como un maullido.

—Hijita, no entiendo nada... Tu primera noche de noviazgo...

Alicia pasó un rato sin contestar.

Tampoco ella se había imaginado así sus reacciones como novia de un marqués; no ya como novia de De Arco, porque en eso haría tiempo que no pensaba, pero sí de un marqués, de otro marqués que humillase a De Arco al casarse con ella... Humillar a De Arco. Humillar a De Arco...

—No sé lo que me pasa, mamá; estoy nerviosa...

—Tal vez la felicidad...

La voz de doña Ana sonaba esperanzada.

—Tal vez...

—Yo también, con tu padre... A veces reñíamos, pero luego resultaba mejor... Si no se riñe, un noviazgo es aburrido...

—Y eso, ¿qué tiene que ver conmigo?

—Nada, es verdad... nada...

CAPÍTULO V

De Arco se despertó optimista. Hacía años que no se sentía tan bien, y junto a la cristalera del comedor, mientras bebía una taza de té, empezó a reírse silenciosamente.

— Hoy me siento como un novio — comunicó a su ama de llaves.

La buena señora sonrió por compromiso. Con aquel hombre siempre había que estar preparada a que dijera cosas graciosas.

— Y lo que usted no sabe, doña Luisa, es que soy un novio de verdad.

Doña Luisa volvió a sonreír con la misma mueca mecánica, sin decir nada, y De Arco pensó muchas picardías de ella, mientras la veía alejarse... Dentro de poco tendría la cara risueña de Alicia frente a él a la hora del desayuno... ¡Qué distinto resultaría para Alicia desayunar junto a aquella alegre cristalera, oyendo la algarabía de los pájaros del jardín, que en el comedorcito de pesadilla que había en su casa!

De Arco preguntó la hora. Se dio cuenta de que Alicia debía de estar ya en el despacho... Siempre llegaba muy temprano.

De Arco se imaginaba que llegaría aquel día antes

que nunca, entre seria y ruborizada, a comunicarle que a su mamá le había parecido bien la idea de su noviazgo.

Alicia no había llegado.

De Arco se aburrió de esperarla. Después de la lluvia de la noche anterior el jardín había quedado maravilloso, lavado, debajo de un resplandeciente cielo azul. De Arco se entretuvo con los perros y se olvidó de Alicia hasta cerca de mediodía. No había venido.

De Arco pensó entonces que estaba portándose como un novio poco cariñoso y llamó a su casa.

—¿Es el señor De Arco?

Era una voz un poco temblona la que contestaba. De Arco recordó a la anciana gruesa que vivía con Alicia y le hizo un efecto extraño pensar que dentro de poco sería su suegra.

"No quiero que viva en esta casa... Y al fin y al cabo, ¿por qué no? No estorbará mucho la pobre mujer... Pero las comidas... Mejor será buscarle un lugar adecuado... un convento..."

—¿Quién es?

La voz de Alicia, un poco seca, un poco ronca. Desconocida...

—Tu novio.

—¿Sigue usted con su broma de ayer?

—Vamos, Alicia... ¿Qué te pasa? Sabes muy bien que va en serio.

—No sé por qué tengo que saberlo... Por otra parte yo aún no le he dado ninguna contestación.

—Es verdad... ¿Por qué no has venido?

—¿Piensa usted que siga de secretaria suya, si algún día llegamos a casarnos?

—Es verdad... Tenía ganas de verte, y no pensé...

Bueno, hace una mañana estupenda... ¿Crees tú que puede entrar en las conveniencias sociales el que te vaya a buscar y nos vayamos a almorzar por cualquier sitio agradable de los alrededores?... Entonces me dirás lo que has decidido.

— Puede venirnos a buscar.

— "¿Venirnos a buscar?"... Te encuentro más solemne que de costumbre. Hablas ya como el Padre Santo, en plural... Ese silencio es que te has enfadado, si no me equivoco... Pero te advierto que pienso cambiarte el humor y hasta hacerte reír... Vamos a ver. ¿Tendrás bastante còn una hora para ponerte guapa?

— Estaré preparada dentro de una hora, ya que tiene ese capricho.

De Arco gruñó un poco.

— Mis abuelos se trataron de usted hasta veinte años después de casados, querida Ortiga, pero como nosotros hace treinta años que nos conocemos, creo que no estará mal que empieces a llamarme Rafael y a tutearme.

— ... Ven dentro de una hora, Rafael.

— Magnífico... Pongamos hora y media.

— Como quieras.

De Arco sonrió al dejar el teléfono. Tenía la expresión de un chiquillo entusiasmado con su nuevo juguete.

"La vida, pensó, puede ser tan sencilla, tan grata... No hay más que dejarse llevar por un impulso sano y generoso... A los sesenta y cinco años, después de pasar una enfermedad grave, uno piensa en sentar la cabeza, y descubre que hay posibilidades interesantes en ello. Esta criaturita es como una rosa entre espinas..."

"Una rosa entre espinas", se repitió, mientras le daban su masaje, porque la frase le había gustado... "Las espinas son la vida y la rosa ese amor tan puro, tan guardado entre el orgullo, tan tierno y fiel... María Elena podría pensar lo que quisiera, de estar viva, sobre este proyecto de mi matrimonio, tal vez encontrase más natural que yo me dirigiese a cualquiera de mis viudas medio arruinadas, que verían en esto sólo un medio de poder apostar a las cartas sin preocupaciones excesivas... Si hay un ser en el mundo que se case conmigo sólo por lo que soy y lo que valgo, aun sin un céntimo en el bolsillo, este ser es mi pobre Ortiga."

De Arco, después del masaje, empezó a sentirse ágil y descansado; se ocupó de que encargasen una mesa para dos en el jardín del restaurante y se ocupó de mandar al demonio a uno de los sobrinos de María Elena que se empeñaba en verle por asuntos de negocios.

— ¿Negocios?... No estoy para negocios... Me he retirado para siempre de tales complicaciones.

Cuando se dirigía a casa de Alicia chispeaban sus ojos negros debajo de las cejas blancas. Iba a hacer feliz a su romántica Ortiga. Era muy bueno pensar en hacer felices a los demás. De esto se había ocupado poco De Arco durante su alocada vida, aunque de ningún modo había dejado nunca de ser cordial y generoso a su manera. Tuvo ganas de preguntar al chófer si era feliz... Y se lo preguntó.

— ¿Cómo dice, señor?... Vaya, pues vamos tirando, con siete chiquillos a cargo de uno y pocos posibles...

De Arco estuvo a punto de preguntarle cuánto ganaba, pero se contuvo prudentemente.

— Tiene usted más suerte que yo, Antonio, con tener esos siete hijos.

También se avergonzó ligeramente de esta frase. Es verdad que él había perdido a su hijo único, pero aquello había pasado ya, desde luego, y por otra parte el muchacho ya estaba bien independizado cuando aquello ocurrió y se preocupaba bien poco de él...

Afortunadamente, el automóvil se detuvo delante de la casa de Alicia antes de que los pensamientos de De Arco se tiñesen de melancolía. Unos minutos más tarde De Arco recibió una sorpresa desagradable: Alicia se presentó acompañada de una señora enorme y azoradísima debajo de su sombrero negro... En realidad se puede decir que Alicia venía acompañada de un gran bulto negro provisto de una piel, un sombrero, un bolso, unos guantes, unos zapatos estrechos, y que dentro de todo aquello palpitaba y se sonrojaba una señora.

— ¿No recuerdas a mi madre?

— Ya lo creo, ya lo creo...

— Nos vimos en unos momentos difíciles la última vez...

— Muy difíciles, sobre todo para mí. Usted fue extraordinariamente buena...

De Arco sentía un despecho infantil, mientras se desenvolvía con su amabilidad de costumbre, acomodando a la madre y a la hija en el asiento posterior y arrellanándose él junto al chófer.

Aquello era una mala pasada de Alicia. Resultaba muy estúpido tener un testigo en su primera comida de novios... Y ¡qué testigo! ¿De qué demonios iban a hablar con aquella buena mujer delante? En fin, podía haberlo sospechado. Alicia pertenecía al tiempo de las carabinas... y el polisón... No hacía mucho pensaba él que en eso, precisamente en eso, consistía su encanto.

— Ha sido tan amable en invitarnos — decía a sus

espaldas la señora de Quiñones —. Para mí es una verdadera fiesta...

— Ha sido una idea de Alicia, señora.

La voz de Alicia se dejó oír.

— Me ha parecido lo natural, dadas las circunstancias.

— Yo estoy encantado.

La señora de Quiñones sintió, horrorizada, que rompía a sudar, en parte de angustia, en parte, también, porque aquel traje y aquella piel la sofocaban. Había sufrido muchas emociones desde la noche anterior... Toda la mañana, hasta que De Arco llamó, había sentido aquella angustiosa obsesión de que Alicia estaba trastornada y el noviazgo con el millonario era cosa de su trastornada fantasía... Y Alicia parecía apagada, malhumorada, dispuesta a saltar a la menor cosa... Después de la llamada de De Arco fue una especie de fiebre y de entusiasmo el que se había apoderado de la madre y de la hija. Doña Ana no había supuesto que a De Arco pudiera molestarle su presencia, pero ahora veía con claridad que aquella tontita hija suya no sabía hacer las cosas.

— Estoy pensando que debí quedarme en casa... Ustedes tendrán tanto que hablar...

— Ya hablaremos otro día... Ha sido muy buena idea de que podamos intimar... Hace un día espléndido, ¿eh?

Sí; hacía un día espléndido. Parecía comprado por De Arco para su novia.

— Sí; sólo con ver ese cielo se alegra una... Siempre le he dicho a Alicia que pierde mucho con no apreciar la naturaleza... Lleva años sin salir al campo.

De Arco se sorprendió pensando en lo poco que co-

nocía los gustos de aquella criatura que era su novia.
Su Ortiga, tan misteriosa...

—Yo le enseñaré el campo a esta chiquilla. Si no lo
ha visto nunca, no puede gustarle.

—A mí me gusta el campo de cierta manera... En
una buena casa, con invitados, con todas las comodidades... El campo como en los veraneos de mi infancia,
cuando vivía papá.

Doña Ana abrió la boca a punto de decir algo. Luego se contuvo prudentemente. Alicia hablaba con tal
convicción... Parecía que recordaba verdaderamente
una infancia llena de lujos y comodidades... Habían
vivido con decencia, sí, en los tiempos del pobre Quiñones, hasta habían viajado... o por lo menos pasaron
dos años en Inglaterra, cuando Quiñones fue secretario
particular de un joven cónsul, muchacho muy alocado
y de gran fortuna personal, que terminó desastrosa-
mente... Pero jamás hubo veraneos lujosos con invitados, como no se refiriese Alicia a las visitas familiares...

De Arco, mientras tanto, había bostezado ligeramente. Había rejuvenecido tanto con sus alegres pensamientos de aquel día, que casi era demasiado... Tenía
sensaciones infantiles. Después del baño y el masaje,
arrullado por la suave marcha del automóvil, sentía un
bienestar propicio al sueño. El campo ancho, liso, con
tonos ocres y verdes, con aquel cielo inmenso donde
apenas flotaban algunas nubes muy blancas, acunaba
su ligera somnolencia.

—Sí..., a mí tampoco me gustan las incomodidades...

Esta reflexión, al cabo de un rato de silencio, venía
como envuelta en sueño, en dulzura.

"¡Qué le van a gustar las incomodidades al pobre

señor... si es más viejo que yo!", pensó doña Ana. Suspiró, con ansiedad ya calmada. A ella sí que le gustaba el campo, y no sería muy difícil para Alicia conseguirle el alquiler de una casita con jardín donde ella pudiera cultivar unos rosales y unos tiestos de claveles, y tener unas gallinitas... Toda la vida había tenido doña Ana estas sencillas aspiraciones. Estaba segura de que para De Arco significaría bien poco una rentita que a ella le permitiese vivir así... No pensaba estorbar lo más mínimo al matrimonio en aquella vida de lujo y diversiones que soñaba Alicia.

Miró de reojo a su hija y se estremeció al ver su mirada brillante, clavada en cualquier lugar de aquel cielo que el automóvil parecía traspasar y que ella, de seguro, no veía. Hacía años y años que Alicia vivía así, lejana, metida como en un sueño interior... Y ahora que había llegado la realidad... pues seguía soñando. A doña Ana le parecía raro; pero la enternecía. Siempre había sido muy dada a enternecerse y a que se le llenasen los ojos de lágrimas por cualquier cosa.

El automóvil se detuvo delante de una casa grande y blanca, con aspecto de merendero veraniego.

De Arco, disgustado, se dio cuenta del ligero sobresalto que experimentaba; observó de reojo a las mujeres por si se habían dado cuenta de sus cabezadas... Nada de eso. Doña Ana, enrojecida y feliz por el aire puro que respiraba al salir del auto, sonreía, observando el edificio. Alicia parecía también salir de un sueño, y también miraba hacia la casa, con un ligero fruncimiento de sus cejas finas.

—Tiene un aspecto algo equívoco este merendero... ¿No?

De Arco se sintió despejado, los ojos le brillaban alegres.

— ... Pero, afortunadamente, has traído a tu madre y nada puede pasarte en mi peligrosa compañía y en este peligroso restaurante — concluyó.

CAPÍTULO VI

Aquel local tenía un comedor grande, encristalado, que había que atravesar para salir al jardín. Algunas mesas estaban ocupadas, y todas las cabezas de los comensales se volvieron hacia el trío, mientras avanzaban siguiendo al camarero.

De Arco miró majestuosamente, desde su estatura, a todos aquellos seres. Había atravesado a lo largo de su vida infinidad de locales públicos en las más diversas compañías, y, sin embargo, aquel día se sintió infinitamente molesto. Fue un segundo nada más. Fue como si se hubiese visto en un espejo entre aquellas dos mujeres absurdas —una flaca, otra gruesa— que apenas le llegaban a los hombros... Tuvo un sentimiento mezquino al considerar el mal gusto y el poco garbo que para vestirse tenía Alicia... Y aquella manera de andar a saltitos debajo de una pamela negra...

La pamela negra salió al jardín, detrás de doña Ana. Él la seguía.

—Inmediatamente se pondrá otro cubierto, señor; por aquí, señores...

El jardín era agradable. No había nadie y los parterres estaban cuajados de dalias de colores vivos. Un árbol daba sombra a la mesita que les habían dispuesto.

Había un pequeño estanque con peces de colores. En el horizonte, la serranía, muy azul, dura, sin nieve.

De Arco empezó a tutear a doña Ana, llamándola suegra.

— Nosotros — dijo galantemente — somos de la misma generación.

Doña Ana sonrió con amabilidad. La galantería no llegó a ella, pues estaba convencida de que, en efecto, era más joven que De Arco.

— Esto tiene otro aspecto — decía Alicia echando una ojeada al jardín —; casi parece una casa particular... Me recuerda a nuestra casa solariega... Allí había una gran escalinata con dos galgos rusos.

De Arco miró sonriente a Alicia.

— ¿Siempre estaban aquellos pobres bichos en la escalinata?

Alicia enrojeció.

— Es un recuerdo mío... Me parece ver a mi padre en lo alto de la escalera, con su traje de caza y los galgos...

— Ah... El recuerdo te confunde, hijita. Los galgos rusos no cazan.

Alicia pareció, por unos instantes, tan molesta, tan triste y..., sí, tan indefensa, que De Arco se enterneció.

— ¿Qué más da? Tú tienes ese recuerdo, y ya es bastante... Dentro de unos años recordarás esta comida y me verás como un joven gallardo de ojos negros, en vez del pobre y viejo que soy... Estas cosas pasan... Yo también — suspiró — tengo muchos recuerdos falsos.

De Arco combinó con cuidado y glotonería el menú y los vinos.

— Me despido con esto de la buena vida de célibe.

En cuanto Alicia se entere de mi régimen, me vigilará como un cancerbero... y se acabó.

—Con Alicia estará tranquilo en cuanto a eso. No es porque sea mi hija, pero es tan cuidadosa, tan buena... Sin ella, yo me hubiera muerto hace tiempo.

Por la mirada de De Arco cruzó una sombra.

Doña Ana lo advirtió en seguida y se apresuró a disiparla.

—... No quiero decir con esto que cuando se case voy a estar yo pegada a sus talones... No, no, por Dios... A mí lo que me gustaría sería una casita en el campo, con una criada... Nada de mezclarme en la vida de un matrimonio.

De Arco alabó el buen criterio de doña Ana, y descargado de una preocupación empezó a hablar de la boda.

—Me alegro mucho que hayas venido, Ana. Yo no estoy por esperar mucho tiempo, después de haberme decidido. Vamos a hacer algo muy rápido y muy sencillo... No quiero que se enteren ni mis sobrinos. Nada de jaleos ni trámites estúpidos... ¿No es cierto, Alicia?

Se volvió para mirar a su novia y vio en sus ojos tal frialdad y dureza que se quedó asombrado.

—Esto creo que es cosa que me corresponde a mí decidir, Rafael.

—No te entiendo, hija mía...

—No me extraña... Nunca has pensado más que en ti mismo...

Doña Ana quiso intervenir, pero tenía la boca llena de pollo. Fue un instante angustioso. La pobre señora vio desvanecerse su ocasión de pacificar a los novios. Por más esfuerzos que hacía por tragar el bocado, aque-

llo se le convertía en una bola estropajosa imposible
de pasar de una vez sin ahogarse. Y Alicia seguía...

— ¿No puedes pensar en mí una sola vez en tu
vida? ¿Crees que soy capaz de casarme con un hombre
que se avergüence de mí delante de su familia, de sus
amistades...?

— Querida Ortiga, no seas tonta... Si me avergon-
zase de ti no me casaría contigo.

— Y no te casarás conmigo haciendo una boda se-
creta, como si hubiese algo vergonzoso que ocultar...
Puedo mirar a todos tus parientes, a todas tus amistades, muy de arriba abajo, y sin avergonzarme de nada.

— Alicia, Alicia... Eres insoportable... ¿Verdad,
Ana, que es insoportable?

Doña Ana estaba, al fin, liberada del pollo.

— Sí, señor...; claro, a veces parece que has perdido el juicio, hija mía... ¿Qué más da cómo sea la
boda...? Lo importante es el cariño...

— Sólo me casaré como he soñado casarme, como
se han casado todas las mujeres de mi familia... De
blanco, con velo de encaje, con diadema, con toda la
categoría y todos los invitados que me corresponden,
quiero ser presentada al rey...

De Arco estaba pensativo. Estudiaba aquella carita
de Alicia, que en nada se parecía a la fisonomía tranquila, tan conocida. Él había querido encontrar algo
allí, dentro de aquella alma cerrada, esperaba una dulce sorpresa... Y, desde luego, era sorprendente lo que
estaba viendo.

— Querida Alicia, permíteme que te recuerde que
no hay monarquía en España en estos momentos...

— He dicho "rey" en sentido figurado... he querido dejar bien clara mi posición. Si he de ser tu mujer,

seré tu mujer y no una enfermera de origen oscuro que tú hayas contratado para cuidarte...

De Arco había dejado de escuchar. Estaba viendo con toda claridad el rostro zumbón de su mujer, María Elena. Era como si María Elena se hubiese sentado allí, enfrente de él. No hacía más que mirarle, pero, ¡cuánta picardía, cuánta burla había en su mirada!

De Arco se pasó la mano por la frente.

Ahora Alicia estaba silenciosa, con expresión de reto. Doña Ana, asustada.

— ¿Qué decías?

Alicia abrió la boca, indignada. Pero De Arco la atajó con un gesto.

—Estoy viejo y me distraigo, hija... Esta mañana, cuando salí de casa, me sentía rejuvenecido... Me parecía, no sé por qué, que nuestro noviazgo te producía una felicidad que no existe... Yo estoy seguro que alguna vez tú me has querido lo suficiente para verme de otra manera que como un figurón que te llevara al altar a los acordes de la marcha de Mendelsshon... A mí no me importaría satisfacer ese capricho, si no fuera por la sencilla razón de que viejo y gotoso como estoy, me niego a hacer el ridículo. Me gustaría que pudieras ponerte en mi caso... Me gustaría pensar que no se ha apolillado dentro de ti un cariño que yo no merecía, pero que... me parecía... en fin...

Alicia silbaba al hablar.

—Señor De Arco... Es usted muy dueño de volverse atrás en la palabra que me ha dado, pero yo, para casarme, exijo una boda conforme a mi categoría.

De Arco había comido y había bebido bastante. Estaba rojo. Se sentía mal. De pronto experimentó una extraña repulsión por aquella mujercita de ojos de loca a la que no le parecía conocer, y que volvía a aquel ridículo usted de siempre al dirigirse a él.

— ¿Cómo sabes que es tan dulce y cariñosa, cómo sabes que es tan buena enfermera? —había preguntado María Elena la noche antes.

— Ha presumido usted demasiado de libertino y de donjuán, señor De Arco, para que una mujer decente pueda casarse con usted antes de haber sido presentada a toda la buena sociedad para que sepan qué clase de persona es su futura mujer, qué apellidos y qué cultura tiene... Me ha humillado usted demasiado, De Arco, para soportar una humillación más, la peor de todas.

Odio. Ahora De Arco se dio cuenta de que allí, en aquella voz, en aquel gesto descompuesto de Alicia había verdadero odio... Casi le interesaba. Si aquella endiablada comida no se estuviese dejando sentir demasiada pesada en el estómago, y aquella endiablada humedad de la tierra del jardín no se hubiese metido así en sus piernas, a De Arco, quizá, le habría interesado aquel odio.

— Estoy viejo, Alicia. Viejo y cansado para aguantar esas ridiculeces tuyas... Ana, usted lo comprenderá...

Doña Ana, repentinamente se echó a llorar.

— Mamá, no seas estúpida.

Doña Ana no acertaba a encontrar su pañuelo en el bolso. De Arco, galantemente, le cedió el suyo.

La pena de la gruesa señora conmovía. De Arco sabía que doña Ana veía desvanecerse su vejez tranquila, su casita de campo... De Arco estuvo a punto de decirle que no se preocupase, que de todas maneras él cuidaría de su porvenir... Costaba bien poco, la verdad, ocuparse de la vejez de doña Ana... De Arco detuvo su impulso. Toda su vida De Arco había detenido los impulsos filantrópicos que de cuando en cuando le acometían.

—Alicia, me parece que no era cosa de hacer llorar a tu madre.

—Usted no se da cuenta de que me ha insultado delante de ella.

—Alicia... Esta noche reflexionarás un poco. ¿Quieres? Pensarás si te conviene casarte con este hombre acabado que soy yo... Casarte sin ruido, sin bambolla de ninguna clase, y hacerte conmigo una vida sencilla.

Alicia se puso en pie. Doña Ana se puso en pie. De Arco se levantó también.

Los tres personajes tenían un extraño aire de conspiradores, mirándose.

—¿Es su última palabra, señor De Arco?

—¡Naturalmente que es mi última palabra...!

—Pues tengo el gusto, señor De Arco, de darle calabazas... Tengo el orgullo de negarme a ser su mujer... ¿Entiende usted? Me niego a ser su mujer.

Alicia estaba teatral, magnífica. Olvidada de todo se sentía feliz. Fue una felicidad muy corta, pero espléndida. De Arco, desde su estatura, parecía más bajo que ella. Era como si le estuviese abofeteando.

Un asombrado camarero veía la escena desde una prudente distancia... Le parecía que representaban una comedia aquellos tres personajes... Era divertidísimo. Ahora el caballero inmenso se inclinaba con cierto esfuerzo delante de la mujer histérica.

—Señorita Quiñones... Encantado de su decisión.

El mozo acompañó a las señoras hasta el automóvil. La joven de la pamela torcida llevaba una cara extraña, enloquecida, radiante.

— ¿Te has fijado? ¿Te has fijado?... Jamás había recibido un desplante así... ¡Qué cara puso!... En su vida había tropezado con una señora hasta hoy.

La señora gruesa no contestaba. Iba dando traspiés, llorando y sonándose con un gran pañuelo de hombre.

De Arco aguardó en el comedor encristalado a que volviese su coche a buscarle. Mientras esperaba, pidió una taza de tila; pero se sentía verdaderamente mal. Le habían hecho daño otra vez el pollo y la langosta...

Dos meses más tarde De Arco se casó con una de "sus viudas", y fue un matrimonio verdaderamente acertado. Todo se llevó a cabo de manera muy sencilla y discreta... Ni siquiera hubo noviazgo.

EL PIANO

CAPÍTULO PRIMERO

AQUEL año había llegado muy pronto el calor. Era a principios de junio y el aire quemaba a mediodía.

La luz cegaba los ojos al rebotar en el cemento y la cal de las fachadas, en el asfalto polvoriento, que se resquebrajaba por algunos sitios, dando una impresión miserable. Se echaba de menos el canto de las chicharras en aquella pequeña calle de la ciudad, que ya estaba cerca del campo. Toda una acera estaba bordeada por la tapia de un solar, sobre el que gravitaba un cielo deslumbrante, casi negro. En la otra acera, un monstruoso bloque de viviendas baratas recibía aquel baño de calor y sus infinitas ventanas llameaban.

Un ser humano, un chiquillo andrajoso, salió despedido de una de las puertas del edificio, y su figurilla parecía agrandar las proporciones de aquel mundo silencioso que lo envolvía; parecía aumentar el angustioso calor, y la soledad.

El crío se refugió en un filo de sombra bajo la tapia del solar. Hasta llegar allí la luz era tan intensa, que impedía ver la vieja vendedora de caramelos, siempre en su puesto, al lado del tenderete, donde su mercancía estaba protegida contra las moscas por una tarlatana de un agrio color rosa.

— Un pirulí.

— ¿Traes los cuartos?

— Mire.

La vieja no se fiaba nunca de los chiquillos, aunque solía sonreírles por encima de sus pómulos tostados, que, invierno y verano, recibían la caricia del aire libre. La vida — según solía contarle a una de las vecinas de la casa — le había enseñado mucho. No es que estuviese amargada — las rayitas simpáticas que le cruzaban alrededor de ambos ojos hacían entender bien a las claras que su dueña se había reído mucho en la vida —, pero no se fiaba de las criaturas que le venían a comprar, porque ya le habían hecho más de una faena.

— Ya ve usted, señorita Rosa, quince años vendiendo en esta esquina...; que he visto construir esa casa, y todo... A mí ya no hay quien me engañe, señorita Rosa; porque esto es lo único que yo tengo para vivir..., y que no me falte. Lo mejor que yo tengo es la salud, que puedo decir que no he estado nunca enferma desde que estoy vendiendo aquí, en mi puesto, a pesar de que he cogido buenos hielos en las espaldas... Pero arrimándose, en verano a la sombra y en invierno al sol, yo creo que no hay vida más sana que esta de estar al aire libre.

La señorita Rosa escuchaba con gusto estas confidencias.

Era la única vecina del bloque de viviendas a la que la vendedora daba este tratamiento. Era una criatura joven, siempre sonriente. Demasiado flaca para ser bonita, y que tenía la rara virtud de parecer bien vestida siempre, aunque esto no fuera verdad.

Una verdadera señorita.

Así la había calificado la vieja, años antes, cuando ella vino a vivir al bloque de cemento. A su alrededor se levantaron murmuraciones desde el primer momento. Había en ellas, en aquella señorita Rosa, algo indefinible, algo incalificable y molesto. No tenía tipo de perdida y vivía con un hombre joven y guapo, que, al parecer, era su marido... Pero ahí estaba lo extraño: en que siendo su marido aquel buen mozo, no ocultase, a los ojos vigilantes de la calle, una adoración, una ternura casi vergonzosa por la mujercita flaca y fea, que casi desaparecía debajo de sus hombros cuando iban juntos. El matrimonio solía tener criada, sobre todo desde que les nació un niño, ya que la señorita Rosa trabajaba fuera de casa; y las criadas confirmaban las extravagantes conclusiones a que llegaba la vecindad al verlos juntos.

—Ella es la que manda... Ella hace lo que le da la gana. Él es un cordero para ella... Para mí que no están casados.

—Pero, ¿qué le ve?

La indignación era que la protagonista de aquella historia de amor fuese tan fea, tan poquita cosa, tan retaco. Además, con aquella cara lavada, con aquel aire sencillo..., ¡se atrevía a fumar!

Si hubiera sido una "entretenida", según todas las reglas establecidas por la costumbre, aquello de fumar no hubiera tenido importancia. ¡Pero una mujer que, pese a todos los pesares, parecía honrada y cuyo marido no tenía vicios!... Estos detalles eran enloquecedores.

La vieja de los caramelos, que vendía cigarrillos sueltos y de la que por eso era cliente la señorita Rosa, había afirmado, al pronto, que los cigarrillos eran para él. Pero hubo que desengañarse. La señorita Rosa fumaba y su marido no.

Hubo un detalle chusco, relacionado con esto de los cigarrillos, un detalle íntimo, que provocó muchísimos comentarios entre las vecinas, que causó risa, indignaciones y..., cosa rara, también algunas débiles simpatías entre las mujeres del barrio.

Fue el día en que nació el niño de aquella mujer. Aquel embarazo, como todo lo que se refería a la pareja, fue seguido con gran curiosidad. Las mujeres más experimentadas opinaban que una criatura tan estrecha no valía para esos menesteres, reservados a las mujeres de verdad.

La criada que por entonces había tomado fue interrogada sobre el asunto, y daba gustosamente toda clase de detalles.

—No le hace ni una chaqueta de punto al niño; no sabe coser... Es como un marimacho.

—Bueno, bueno...; ahora aprenderá, ahora verá lo que es bueno... Ya se le quitarán los humos cuando le llegue el momento.

Porque, en verdad, lo que la calle entera encontraba insufrible en la señorita Rosa era aquel aire de felicidad perpetua, aquella especie de reto de su sonrisa, como si fuera distinta de todas, como si a ella no le rozara la miseria, ni el dolor, ni la angustia... Y era tanto más imperdonable, cuanto que era pobre, pobrísima. Si hubiera tenido dinero, si hubiera sido aunque no fuera más que "de buena familia", aquello se hubiera explicado. Pero los orígenes de la señorita Rosa y de su marido se perdían en el misterio. La criada afirmaba que no tenían parientes y que, desde luego, dinero no tenían más que el poco que ganaban.

— Ahora, ahora sabrá ésa lo que es bueno — comentaban la frutera y la lechera al verla pasar, del brazo de su marido, en aquellos días en que ella esperaba a su hijo.

La vieja vendedora escuchaba estas palabras, veía la fruición con que se pronunciaban y movía la cabeza.

— Bueno...; ¿pues no decían ustedes que no valía para eso?... Ella está tan contenta. ¿Qué hay de malo?

La frutera y la lechera opinaron que la señorita Rosa iría a una clínica, para el acontecimiento; pero la criada informó que no tenía bastante dinero, y que habían pensado en la Maternidad, y luego, en que todo sucediese en casa. Y al fin, un día se vio pasar a la matrona, Julita, conocida de todo el barrio...

Como ellos vivían en uno de los áticos de la casa, aquellas tenderas y otras muchas mujeres subieron las escaleras varias veces para "ofrecerse", siendo suavemente rechazadas por el marido. Y no había manera de enterarse de la marcha del acontecimiento hasta que apareció en la calle la criadita.

— ¿Qué? ¿Cómo va?

— ¡Ay! Yo no sé nada... Yo soy soltera... Yo vengo a por un recado. Doña Julita dice que va bien.

— Pero, bueno, ¿te mandaron por alguna medicina?

— ¿A mí?... No; yo vengo a por tabaco para la señorita.

— ¿A por tabaco?... ¡Ave María!... Pero ¿tiene humor esa mujer...?

— Sí; dice que así, fumando, puede no quejarse.

— Y ¿no se queja?

— No.

Entonces fue cuando a la vendedora de caramelos

le dio aquella risa que le arrugaba los ojos sobre las mejillas curtidas y le hacía saltar las lágrimas.

—Yo siempre dije que tenía aguante.

Y desde entonces, a la vendedora, la señorita Rosa le pareció algo suyo. Era inexplicable, pero cuando la veía aparecer, con sus blusas limpias y su sonrisa inmutable, a la vieja se le alegraba el corazón. Y se alegraba de que el niño fuese hermoso y bien cuidado, y se alegró y se ahuecó toda cuando, poco después, un acontecimiento notable hizo que la gente del barrio empezase a mirar al matrimonio con un nuevo respeto... El día en que, hasta al ático donde ellos vivían, fue izado, con infinitos trabajos, un espléndido piano de cola.

—Parece que son de gente rica venida a menos... El piano es una herencia... Y, además, ella lo toca... Son artistas.

Inexplicable; pero, desde aquel día, la señorita Rosa encontró muchas más sonrisas en los saludos de las vecinas. Una nueva cordialidad, que ella apreciaba quizá porque sonreía también con dulzura... O que, todo era posible, no tuviera en cuenta, porque su gesto siempre había tenido la misma amabilidad y la misma lejanía que ahora.

—Yo siempre lo dije. Siempre dije que era gente de mucha altura...

—Sí, es verdad; se ve que son finos. Y ellos, los pobres, pasarán sus apuros; pero no deben nada a nadie; ésa es la verdad...

"Los pobres..." Esta frase compasiva que ahora les aplicaban, les envolvía, sin que ellos lo supieran, en una aureola cariñosa y respetuosa a la vez. Era un fenómeno inexplicable, pero el piano de cola, en aquella casa-colmena, donde había más de cien aparatos de radio, era un orgullo, y daba a toda la calle como un aire de señorío...

*

Aquel día de principios de verano, la vieja vendedora suspiró, distraída mientras despachaba su pirulí al muchacho. Estaba pensando, precisamente, en la señorita Rosa. La había visto salir, muy temprano, de la casa, y no se había acercado a saludarla siquiera. Sabía la vieja que llevaba pasando una mala temporada. El marido había estado enfermo, el niño también. Por primera vez empezaron a deber dinero en las tiendas de la vecindad...; ¿qué se iba a hacer? Ella seguía sonriendo. Y según la criada, tocaba su piano y recibía a aquellos extraños amigos que tenía el matrimonio, con la misma tranquilidad de siempre. El chiquillo del pirulí volvió a meterse en la casa, y la calle quedó otra vez alucinante y vacía a los ojos de la vieja. De la puerta de la lechería, cubierta con una cortina, se escapaba un horrible olor agrio y fétido. No cruzaba un alma por la acera.

Fue en aquel momento cuando se oyó la bocina de un automóvil, la trepidación de un motor, y apareció allí, en la pequeña calle, abandonado al rigor del sol, un camión de mudanzas.

Paró delante de una de las puertas del edificio. Se bajaron unos hombres y preguntaron algo. Inmediatamente empezaron a temblar las cortinas que protegían las puertas de la frutera y la lechera. Apareció el zapatero remendón de la esquina, y las puertas comenzaron a vomitar chiquillos.

Se abrieron algunas ventanas.

Era la hora de la vuelta del trabajo. En cinco minutos aquel rincón desolado se convirtió en un sitio concurrido. Hombres y mujeres, sin miedo al sol, veían las operaciones de los mozos de la mudanza. Se llamaban unos a otros, hacían comentarios.

La vieja vendedora, quieta en su silla, aguzaba el oído.

—Caray, sí ¡ya era hora!... Me debían más de veinte duros...

—Y bien que se los pagaron a usted ayer, señora...

—Ya lo creo. Ahora me lo explico... Han vendido el piano...

La vieja vendedora aguzaba el oído desde el principio, para enterarse de lo que chillaban aquellos dos energúmenos; la frutera y la lechera; pero al oír la palabra "piano", ya no tuvo la menor duda de lo que se trataba.

Con unos zorros de papel, la vieja espantó, nerviosamente, las moscas que insistían en posarse sobre la tarlatana protectora de sus dulces...

"¿Un piano?... Y ¿qué importa que vendan un piano?... Pues vaya —gruñó para sí—. Cualquiera diría que sin piano no se puede vivir... Pues me han fastidiado esas mujeres con tanta risa... Las muy brujas se alegran... Pues vaya..."

—¿Qué le pasa, señora Gertrudis?

El zapatero remendón estaba delante de ella.

—¿A mí? Que me molesta la gente que comenta lo que no le importa, eso me pasa.

El zaaptero se echó a reír. Tenía los dientes muy negros.

—Vaya, señora Gertrudis, ni que le diera a usted de comer esa señorita del pan pringao...

Gertrudis no contestó. Se le había ocurrido una contestación disparatada, de todo punto disparatada, y pudo contenérsela. Pues, ¿no había estado a punto de decirle a aquel hombre que ella quería a la señorita Rosa como si fuera su hija?... Y ¿de qué conocía ella, la vieja Gertrudis, a aquella muchacha? De nada, ésa era la verdad; de verla en la calle, durante años, en cortos ratitos, siempre sonriente...

En aquel momento, de los espectadores se escapó un rumor, como un pequeño mar que alborotara el oleaje. Allá arriba, en la terracita que adornaba uno de los áticos, acababa de aparecer el mueble, protegido por mantas.

Había una especial fascinación en seguir el trabajo de aquellos hombres. Un trabajo primoroso, como de equilibrista de circo. Un trabajo que se apreciaba a pesar del calor, el polvo y la sed del día...

Gertrudis suspiró. Se sonó con su gran pañuelo blanco y apartó la vista de aquellas alturas.

Entonces vio que en una esquina de la calle, allí, bajo el filo de sombra de la tapia del solar, muy quieta, inadvertida, estaba la señorita Rosa.

La vieja la vio, inmóvil, fascinada. Tenía en la mano muchos paquetes. Vio que no pestañeaba, mientras el lujoso mueble descendía... Siguió allí quieta, mirando, hasta que estuvo el piano ya dentro del coche de la mudanza. Hasta que este mismo coche arrancó de allí, y los vecinos se disolvieron, huyendo de una insolación... Luego vio cómo suspiraba, y se disponía a entrar en la casa.

Pero antes se volvió hacia ella, hacia la vieja Gertrudis, y le dedicó una sonrisa.

CAPÍTULO II

Rosa se metió en el portal, con cierto desánimo. Aquella sombra fresca, bienhechora, le acarició las piernas, el pecho, los pómulos ardorosos. Parpadeó para acostumbrarse a la relativa oscuridad y pudo ver, al fin, un panorama muy conocido. El largo zaguán, parecido a un pasillo, con la garita de la portera, que allí la acechaba, sin disimular su curiosidad. Rosa no la había visto. Estaba ocupada en contar sus paquetes, cuando asomó la cabeza de aquella mujer.

— ¿Se encuentra mal, señorita Rosa?

— No, por Dios, gracias... Hace tanto calor... ¿Verdad?

— Sí, señorita, cuando vienen malos tiempos todo parece que agobia más...

Rosa la miró, sorprendida, como si por primera vez viese a Juana, la portera. Consideró su estatura alta, su pecho fuerte que había amamantado a varios hijos, sus descuidados cabellos negros, que hubieran sido bellísimos si no hubiesen estado llenos de polvo, y aquellos ojos grandes, brillantes, que achicaba al hablar. Se fijó en sus manos, una de las cuales sostenía la escoba, y otra se apoyaba en el marco de la puerta de su cuchitril. Eran unas manos morenas, descuidadas, de forma bella, como —pensó Rosa, sorprendida— todo en aquella mujer, pero tenía las uñas rotas y negruzcas. Rosa no sabía por qué la estaba mirando con tanta atención. Le parecía que aquella mañana no había hecho otra cosa que mirar fijándose de esta manera, a los seres y a las cosas con los que sus ojos habían tropezado. Y en aquellos segundos la portera la miraba también, esperando. Rosa reaccionó.

—¡Ah!... Los malos tiempos... Bueno, no sé...

Como todo lo arreglaba sonriéndose, se sonrió, y fue Juana la que quedó un poco cortada con aquella sonrisa distraída, y aquella chispa luminosa de los ojos de la señorita Rosa. Siempre pasaba igual; cuando iba a preguntarle algo, aquella mujer se le iba. Y no se podía decir que fuera orgullosa, ni nada parecido. Era que no podía uno pegar la hebra con ella por nada del mundo...

Rosa llegó hasta la escalera. Su escalera... Un sitio bien conocido, y hasta querido, si la apuraban mucho. Una escalera fea, con escalones de cemento y frágiles barandillas que retemblaban al paso constante de la chiquillería de la casa. Siempre estaba sirviendo de escenario aquella escalera a representaciones de películas de "gangsters", tiros imitados con la boca, peleas reales, realizadas por críos mocosos, de ojos furibundos. Al hijo de Rosa, que tenía cinco años, aquellos diablillos le llamaban "el gallina" una veces, y otras "el santito", porque su madre no le dejaba mezclarse en estos juegos.

Ahora la escalera estaba solitaria. Por las ventanas que le daban luz se veía un patio grande y sucio, lleno de ropa tendida. De aquel patio llegaban voces, risas. Pero sobre todo chillidos de aviso para la comida del mediodía, y olores de esta misma comida. Los diablejos, pobladores de aquel mundo, propietarios de feroces nombres de bandidos, estarían sentados a la mesa, frente a la cazuela de las patatas.

Por estos mismos diablos, la escalera estaba adornada, en su pared, con dibujos torpes y algunas palabras y avisos de una ingenua obscenidad.

Rosa, que contra su costumbre, la subía muy despacio, se entretuvo en descifrar aquello.

No le eran antipáticos en manera alguna aquellos críos de su vecindad. Y ellos, cosa rara, la querían. Siempre había tenido un atractivo especial para aquellos niños. Quizá porque en los primeros tiempos de vivir allí les compraba caramelos.

Pero, reflexionó, no por esto... Se los compraba porque eran tan graciosos.

Hacía ya seis años que vivía allí, y los primitivos chiquillos favorecidos con sus caramelos eran ya talluditos. Algunos hasta trabajaban. Los nuevos, que habían venido a reemplazarlos, jugaban exactamente a lo mismo... Y ella tenía la impresión de que también la querían, aunque le guardasen rencor porque tenía apartado a su hijo. A veces, ella misma se lo había reprochado. Sabía que el pequeño Pablo se mordía los puños de rabia con aquellos apelativos de "gallina" y "santito", y que deseaba enormemente correr por las escaleras, y pegarse, y vivir gloriosamente con aquella feliz patulea.

Rosa misma, de pequeña, había jugado a bandidos, y podía comprender muy bien la alegría de un vestido sucio y roto después de una tarde de juego feliz... Pero no era esto. Lo que Rosa no quería para su niño, ahora lo sabía, era ese deseo de brutalidad, ese afán que convertía en héroes a los malos. Una vez lo había hablado con Rafael, su marido. Cuando ellos eran pe-

queños iban al "cine" como estos chiquillos, y de las
películas tomaban sus héroes y sus malvados... Y se
peleaban y herían...; Rosa y Rafael habían jugado así,
en la calle de una pequeña ciudad, casi un pueblo,
donde, al menos durante la infancia, no había clases
sociales ni diferencias de educación... Una vez, Rosa
misma, había herido a Rafael con una piedra... Rosa,
descuidadamente, se sentó ahora en uno de aquellos
sucios escalones, y dejó los paquetes a un lado... Estaba
cansada. No sabía por qué estaba cansada. Pero sonreía
a su recuerdo. Maquinalmente buscó en su bolso, y
sacó de allí un cigarrillo. Lo encendió... La escalera estaba solitaria, oscura, casi fresca. ¿Qué hubiera pensado
un vecino al verla así, sentada en ella, fumando?

Era muy propio de Rosa hacer tonterías de éstas.
Luego Rafael se enfadaría, con razón. Pero ella no se
daba cuenta, en absoluto, de sus gestos, ni tampoco de
por qué se hacía tan larga la subida hacia su casa, ni
de por qué retardaba aquella llegada, cuando siempre
había subido casi en un vuelo, anhelante por besar a
Rafael y al niño, un poco asustada de su desorden, de
su incapacidad para medir el tiempo, que siempre le
hacía pensar que llegaba tarde. Aquel día era más tarde que nunca para la comida. La buena de Luisa, la
criada, gruñiría lo suyo... Pero Rosa no pensaba en
esto. Estaba sentada en los escalones, fumando y recordando su infancia en aquella ciudad de provincia, y
de sus peleas con la chiquillería, y la herida que hizo a
Rafael con una piedra.

"Pero es que él era el bandido."

Se sonrió. Quizás allí estaba la clave del asunto, el
porqué no quería ella que Pablito jugase con los críos
del barrio, como ella misma y Rafael había jugado. En

sus tiempos, ser el bandido era lo más desagradable del juego. Todos querían ser héroes buenos, justicieros, limpios... Era el tiempo de la películas de americanos y de indios en que, siempre, una joven inocente y pura era salvada de las garras de unos felones por un héroe maravilloso y bueno... Ahora el héroe era el pirata o el "gangster", y el malvado o los malvados y ridículos, los policías... Desaparecía la caballerosidad. Lo importante era conseguir dinero... El cigarrillo se le apagó a Rosa entre los dedos. Oyó un portazo. Se puso en pie, asustada. Era la misma loca que de costumbre. Empezó a recoger sus paquetes...

—Vaya, bien se ve que ha ido usted de compras.

Un vecino bajaba en aquel momento. Verdaderamente, debería de ser muy tarde, si ya era hora de volver al trabajo.

Rosa asintió. Sí, había ido de compras. Pero por primera vez en la mañana este pensamiento no le causó alegría, ni le iluminó los ojos con una sonrisa... Aquella mañana había bajado las escaleras sintiéndose ligera y feliz. Ahora las subía como si tuviera plomo en las rodillas. Temía la llegada a su casa, por primera vez desde que vivía en aquel piso. Suspiró. Dios sabría por qué.

CAPÍTULO III

Aquel amanecer había sido venturoso. Rosa estaba despierta desde que la primera luz, toda inflamada de un color rosa que hacía presentir el calor, de pequeñas nubes, como plumillas de fuego, de chillidos de golondrinas, entró por la ventana abierta de par en par.

Rafael dormía a su lado, en paz. Lo estuvo mirando; de codos sobre la almohada, inclinada sobre su sueño, como sobre el sueño de un niño. Le conmovía a ella la línea ingenua de su boca, la bien formada estructura de su cara, su frente limpia como la de un adolescente.

De las pocas cosas que se pueden saber de los seres que amamos, son a veces los sueños de estos seres, si ellos también nos aman. Rosa conocía los sueños de Rafael, las ilusiones un poco pueriles que subían detrás de aquella frente amplia, y que ella contribuía a alimentar, muchas veces, sin compartirlas... Y en esto sí que se sentía ligeramente culpable Rosa. Suavemente, casi sin querer, sin que Rafael se diese cuenta, ella había ido limando las ambiciones de aquel hombre... Alimentándolas con palabras, y limándolas, al mismo tiempo, con su falta de deseo de que se realizaran. Estas dos cosas pueden hacerse a la vez.

Rafael deseaba ser rico y famoso un día, y a ello le parecía consagrar su vida... Y Rosa le decía que nadie más capacitado que él para serlo; pero al mismo tiempo le acostumbraba a la oscura felicidad de ser pobre, a la beata felicidad de pasar oscuro e ignorado por la existencia.

Rafael había dejado su ciudad de provincias, el porvenir seguro y cómodo del comercio que tenía su padre en aquella ciudad, y se había venido a la capital, sin más preparación que una cultura adquirida heroicamente, casi en soledad, en horas interminables de lectura y proyectos. Deseaba ser escritor, y escritor de primera categoría, naturalmente. Había enviado un cuento a una revista avanzada y había ganado el primer premio de un concurso. Fue entonces cuando su cabeza empezó a hervir de proyectos; cuando rompió con la paz asustadiza de su familia, cuando dejó a Rosa, la novia de su infancia, y se vino a la capital, dispuesto a conquistar el mundo. Él no quería fama, sino dinero. Le gustaban las cosas bellas, las mujeres elegantes, los automóviles silenciosos que hacen ir, como en un vuelo, adonde se desea.

Se creía capacitado para adquirir todo esto... Pero eso sí, con la mayor pureza. Sólo por medio de la fama que pudiera darle su arte.

Era un muchacho tan bien plantado, con una sonrisa tan blanca y luminosa, con unos ojos tan limpios, que despertaba simpatía y burlas a la vez. No podía él explicarse este fenómeno, y muchas veces hasta había sentido un infantil resquemor de lágrimas en la garganta cuando había oído el comentario burlón.

—Pobre hombre, con esa salud, con esa talla... Usted donde tiene porvenir es en el boxeo, o como artista de "cine"... ¿De veras no se ha hecho probar nunca a ver si sirve?...

Salud, belleza, juventud... Llegó a aborrecer estos dones que de nada le servían para sus deseos. Aceptó un pequeño empleo de oficinista que le dejaba horas libres, y conoció una heroica pobreza, y él que en nada quería claudicar, transformó su estilo literario según las últimas modas y corrientes de su círculo de intelectuales de café... Y no logró nada. Después del primer éxito, nadie lo tomó en serio.

—Pero, hombre —le decían los guasones—, la culpa es de ese físico de divo que tienes... No inspiras respeto ni miedo.

Rafael, aunque allá en su fondo estaba creyendo que lo que pasaba era sencillamente que él era idiota, reaccionaba a estas cosas con una vanidad herida, chillona, cómica.

Por aquel tiempo fue cuando encontró de nuevo a Rosa, convertida en universitaria. Parecía ser todo lo contrario que él mismo, y la quiso otra vez.

Parecía imposible que aquella chiquilla flaca fuese la imagen del éxito personal. Pero así era. Tenía un círculo de amigos que la querían y que la admiraban. No se sabía por qué; porque ella concretamente no ambicionaba nada. En aquel ambiente suyo de artistas incipientes, ella era la única que no se había propuesto ni pintar, ni escribir, ni esculpir, ni nada... Pensaba terminar su carrera y después ver qué pasaba en la vida. Eso le dijo a Rafael, y más tarde él supo que también Rosa vivía mal. Era huérfana y becaria, estaba enfadada con una tía rica, su único pariente, por su demasiado afán de independencia.

—Bueno, te diré... Ella está enfadada conmigo. Yo

no estoy enfadada con ella... Sólo que no quiero vivir en su casa, porque aquello es un aburridero. Algunas veces voy a visitarla porque me da pena. Y ¿sabes en qué consiste la visita?... En que me hace tocar el piano... ¿Has visto absurdo mayor? Yo lo hago de una manera horrible. Todavía me acuerdo de las torturas a que fui sometida en mi infancia y adolescencia, sólo porque era lo clásico que una niña de nuestra ciudad supiese teclear... No tengo ni gusto, ni disposición, en absoluto... Y como me encanta la música, por otra parte, me parece que hago un crimen, que la asesino... Pues eso es lo que la buena señora encuentra aceptable en mí: que sepa tocar su piano.

Y Rafael, cuando Rosa le contaba esto, ya había decidido casarse con ella... Algo extrañamente sensato empezaba a madurar en él, de modo que le preguntó:

— Te dejará heredera, ¿no?

Rosa le miró con curiosidad mientras él enrojecía.

— Ni lo espero ni lo quiero, puedes estar seguro... No te hagas ilusiones.

Él se indignó.

— ¿Qué te has creído?

No hablaron nunca más de aquella señora, durante su noviazgo; pero fue la madrina, solemne y ofendida, en la boda...

Porque Rafael, con aquel cariño de Rosa, había recobrado alegría y fuerza, y quería protegerla. Logró un empleo algo mejor retribuido que el que tenía; ella encontró otro, y se casaron alegremente inaugurando aquel pisito modesto con dos o tres muebles de pino y mucha alegría.

— Ahora — dijo Rafael — podré triunfar... Tú eres de esas mujeres que hacen triunfar a un hombre. A ti no te importa pasarlo mal, con tal de que el día de mañana podamos tener todo lo que deseamos.

—Yo no deseo nada... Tengo todo lo que quiero.

Ésta es la diferencia. Él ambicionaba; ella se sentía colmada ya. Lo pensó aquella mañana al ver dormir a Rafael, a su lado, en la amanecida. Le parecía que iba a estallar de amor al mirarle, tan suyo, y tan abandonado en su fuerza.

Él hizo un movimiento. Tal vez la luz le molestaba en sueños. Rosa sintió que le latía el corazón. Luego vio cómo seguía durmiendo Rafael, y ella misma se volvió a echar suavemente en la cama, mirando al techo, con los ojos abiertos y dejándose invadir por aquella oleada de alegría y de paz.

"No sé por qué estoy tan contenta. No sé..."

Entonces recordó que tenía dinero. Recordó que ella, Rafael y el niño iban a tomar un mes de vacaciones en el campo. Recordó que la pesadilla de los últimos meses había pasado del todo... Por lo menos había pasado por el momento. Se sentía ligera como quien respira después de haber llevado en los hombros una carga demasiado pesada. Y al mismo tiempo aquella felicidad parecía demasiado grande. Parecía que ahogaba sin remedio, que volvía la sangre demasiado pesada, que traía una ligera sombra en ella, no sabía qué, ni quería saberlo... Cerró los ojos para no pensar.

En aquel momento oyó una batahola horrible en la cocina. La criada, Luisa, encendía la lumbre. A poco, el niño se despertó. Sintió su voz gritando que le fueran a vestir. Las golondrinas, en la ventana, se volvían frenéticas de tanta luz que había ya, y en el piso de al lado, separada de ellos por un ligero tabique, una familia entera desayunaba... Era el ruido de todos los días, la vida de todos los días conmoviendo la pequeña casita, y sin embargo, resonaba distinta en el corazón. Tenía un sentido distinto. Un ritmo nuevo

La puerta de la alcoba fue aporreada.

—¡Que se levante!... ¡Que llega tarde a la oficina!

Rafael se incorporó sobresaltado en la cama y luego sonrió, al ver que Rosa, a su lado, muy despabilada ya, sonreía.

—Ya lo oyes — dijo.

El aviso era para ella. Rafael estaba aún enfermo. En verdad, casi bueno. Pero el médico había prohibido toda clase de trabajo; al menos antes de que tomase vacaciones en el campo... Había perdido su empleo, después de varios meses de esperarle, sin sueldo... Si hubiese conservado su trabajo, Rafael habría ido a él, aunque no se encontrara bien del todo. Rosa lo sabía. Y aquel día se alegraba de que lo hubiese perdido.

—Quédate tú en la cama.

—Estás loca. Voy a trabajar un rato. Me parece que esa novela está saliendo...

A Rosa, sinceramente, también se lo parecía. Era muy posible que Rafael triunfase. Ella sabía más que nadie que él tenía dotes, que tenía imaginación y sobriedad escribiendo... Ella quería su éxito, pero sólo por la alegría que él pudiese sentir, no por las mil cosas inoportunas e infantiles que Rafael pensaba que vendrían cuando fuese un escritor conocido.

El niño tenía vacaciones y la criada le dijo a Rosa — mientras ella desayunaba en la cocina — que lo iba a llevar al mercado.

El mal genio de aquella eficiente Luisa, que les había tocado en suerte no hacía mucho, estaba aplacado esta mañana, porque, en verdad, la pobre, en los últimos tiempos había temido mucho no llegar a cobrar jamás sus sueldos; y con gran sorpresa suya, la noche anterior los había recibido íntegros, y un regalo además, por lo bien que se había portado durante la enfermedad del niño y de Rafael.

—Ande, ande, dese prisa...

Luisa gruñía. Tenía verdadera ansiedad por verla fuera de su cocina.

—No sé cómo no se ha desayunado en el salón...

Rosa sonrió como siempre que oía esta palabra. En aquella casita chica había una habitación llamada el salón... Y hasta merecía su nombre y todo.

—No, hoy no... Me voy corriendo.

En un momento se le ensombrecieron los ojos verdes y brillantes que tenía. Luego se le volvieron a iluminar.

—Adiós... Dame un beso, Pablillo...

—¿Cuándo nos vamos al campo?

—En seguida, muy pronto. Me voy a ocupar de eso en seguida.

—¿Allí me vas a dejar jugar en la calle?

—¡Ya lo creo!...

—Bueno, bueno, basta de mimos — cortó Luisa por lo sano —, que éste se va a volver raquítico con tanto beso y tanto mimo...

Rosa no contestó en absoluto a esta salida de tono de la criada. Era muy raro, pero ella, tan valiente para otras cosas, a las criadas siempre les había tenido miedo. Sabía que la juzgaban agriamente. Que les parecía tonta e inepta en las cosas de la casa, que no comprendían el que un hombre "cabal" como Rafael se hubiese casado con ella. Lo que no sabía es que, además de ama de casa calamitosa, sus criadas la creyesen fea hasta un punto notable. Y se hubiese sorprendido mucho con esto, porque toda su vida había oído palabras halagadoras respecto a su propio físico, del que tenía una ligera e inconsciente vanidad. Y, sin embargo, era fea. Pero quizá en no saberlo residía aquel encanto que le encontraban los que la trataban.

Se desprendió, casi vergonzosamente, de los brazos del niño, y salió desde el pasillo oscuro al rellano de la escalera.

Cuando la puerta de su casa se cerró detrás de ella, sintió como un alivio inexplicable.

"Voy a tomarme unas vacaciones", pensó.

No se trataba de las célebres vacaciones proyectadas... Era algo inmediato, apetecible de hacer. Un lujo maravilloso que iba a permitirse. Aquella mañana, decidió, no iría a la oficina.

CAPÍTULO IV

Bajó las escaleras radiante. Las mismas escaleras que se le iban a hacer interminables en su subida a mediodía, volaron entonces bajo sus zapatos. Las bajaba haciendo retemblar las barandillas como los chiquillos de la vecindad.

— ¡Se va a matar!

La advertencia, bastante agria, vino de una vecina, una mujerona enorme, cuyos labios estaban decorados con unos respetables bigotes grises. Aquella buena mujer subía resoplando y jadeando y la miraba con muy poca cordialidad.

— No hay cuidado — gritó Rosa alegremente.

Y en aquel momento resbaló en una cáscara de plátano y, en efecto, estuvo en un tris de salir rodando. La barandilla contuvo la caída, y Rosa empezó a reírse, sofocada, mientras oía un comentario gruñón contra las personas locas.

Pero, en fin, ya estaba en la calle. En aquella gloria de día, que aún no era demasiado ardoroso, y, sin embargo, llenaba los ojos de luz. Con todas aquellas horas para dejarse vivir en ellas, para vagabundear.

Hacía mucho que Rosa no podía hacer esto. Vaga-

bundear. Ir de un lado a otro a placer, sin objeto... Y
¡cuánto le gustaba!... Una de las cosas que le habían
determinado a no vivir con aquella señora imponente
que era su tía, había sido su incomprensión para este
afán de libre vagabundeo suyo.

"Con lo que tienes, te morirás de hambre... Y además, no lo tienes más que hasta el término de tu carrera... Y eso si no pierdes asignaturas, que lo veo
difícil, porque para vivir vas a tener que ayudarte trabajando. Y trabajar y estudiar no es cosa que pueda
hacer una cabeza de chorlito como tú... Yo te advierto,
como pariente. Pero eres mayor de edad, y me lavo las
manos... Si alguna vez quieres volver, puedes hacerlo.
Pero aquí hay que someterse, ya lo sabes... A cambio
de eso no te he tratado tan mal, me parece. He cuidado
de ti como Dios manda, y he cultivado la única buena
disposición que tienes, que es el piano... Si por ahí te
hubieras encaminado, otra cosa sería..."

Con este discurso, o algo parecido, se habían sepa-
rado tía y sobrina algunos años antes.

No, no la había tratado mal aquella imponente doña
Micaela. Había vivido con ella en una casa oscura, lu-
josa y confortable, y como hija de aquella casa había
sido tratada. Pero Rosa prefirió morirse de hambre,
y en su alegre pobreza juvenil fue muy feliz. Jamás
había sentido tentaciones de volver a casa de doña
Micaela, ni siquiera cuando la iba a visitar, y la señora,
con cierta ostentación, hacía sacar para ella una espléndida merienda.

— Es una lástima que todo esto — solía decirle doña
Micaela achicando un poco los ojos y señalando con la
mano el mobiliario, los bellos cuadros antiguos, las al-
fombras —, que todo esto, cuando yo me muera, pase

a manos extrañas por no tener a nadie querido a quien dejárselo. Por no tener a nadie que lo sepa apreciar.

—Ya es bastante con que lo disfrute usted, tía...

—Bueno, bueno... Ahora que has merendado, espero que por lo menos tendrás la amabilidad de tocar un poco el piano. ¿No?

—¡Ya lo creo!... Aunque no sé qué gusto puede sacar de oírme tocar.

—Mejor es oírte tocar que charlar. Además, así me duermo, que con los insomnios que tengo no me hace poca falta...

Quien salía de aquellas visitas con un sueño tremendo era la propia Rosa. Pero reflexionaba que, en verdad, las cosas interesadas se pagan siempre, y que buscaba el interés de un chocolate y unos bollos reparadores de sus energías en la visita a la tía Micaela. Se espantaba de pensar, a veces, que algunas personas, en su caso, hubieran sido capaces de perder no unos ratos, de cuando en cuando, sino lo más hermoso de la vida, la juventud, la alegría, para recibir a su debido tiempo aquellos muebles tan apreciados por doña Micaela, la plata de los aparadores, la porcelana de las vitrinas y la renta que sostenía esta casa con criados y con lustre.

Exagerando este horror, le parecía ya que los años que vivió allí, desde la muerte de sus padres hasta su mayoría de edad, fueron espantosos y atormentadores, y las atenciones que la señora tenía con ella, aquellas atenciones que le hacía aceptar a la fuerza, y que consistían en desayunar en la cama apenas estaba acatarrada, vestirse "muy bien", con telas y hechuras escogidas —y regaladas— por la misma señora; hacerla acostarse a la hora de las gallinas para que no se debilitase su salud, y tomarse a media mañana una yema de huevo con vino de Jerez, porque para el gusto de doña Micaela siempre estaba demasiado flaca... Todo aquello, en fin, que la envolvía y la amparaba cálidamente, como las gruesas cortinas de la casa, se le representaban humillaciones de la riqueza que tanto apreciaba su tía. Por reacción, la pobreza, la sencillez espantosa de la vida que se había creado, le parecían llenas de encanto.

—Has tirado por la ventana una fortuna bastante respetable.

Esta advertencia se la hacía su tía cada vez que las dos se encontraban.

"¡Y con qué gusto!", pensaba Rosa. Pero no lo decía, porque doña Micaela no lo hubiera entendido nunca. Ni siquiera el mismo Rafael lo entendía del todo, aunque si él la había amado era por ser como era, libre y desprendida, generosamente alegre; por haberle llevado las manos vacías, la despreocupación del porvenir y la sonrisa abierta.

"Hay dos clases de pobres —pensaba Rosa aquella mañana, al comenzar su vacación, mientras un autobús la iba llevando hacia el centro de la ciudad—. Los pobres que lo son a la fuerza y los que, como nosotros, estamos encantados de serlo, de sentirnos libres siéndolo. Los pobres de espíritu..."

El autobús iba atestado de gente. Era el mismo que Rosa cogía todos los días para ir a su oficina, y era la hora de comenzar el trabajo. Aún olía aquella gente a jabón y agua fresca; aún estaban alisados aquellos cabellos y sin cansancio los ojos que Rosa miraba. Ella sabía que, unas horas más tarde, el sudor, el calor espantoso volvería pálidas aquellas caras, y que los trajes de las mujeres estarían más arrugados.

Rosa los miró a todos; a todos sus compañeros de trayecto, con sus brillantes ojos, excitada. Tenía ganas de decirles que en el hilo de sus pensamientos había descubierto nada menos que el sentido de una de las bienaventuranzas.

"Bienaventurados los pobres de espíritu, porque de ellos es el reino de los Cielos."

Se avergonzó de la idea absurda de comunicar esto a todas las personas que allí estaban. Quizá lo sabían mejor que ella; quizá lo habían entendido desde el momento en que los prepararon para la primera comunión. Quizá jamás se le había ocurrido pensar, como a la misma Rosa, que "pobre de espíritu" quiere decir persona de pocas luces, y no tiene otro sentido, el sentido que ella acababa de encontrar: Pobre de espíritu, persona que en nada estima la riqueza...

Pobre de espíritu, y no "pobre" solamente, porque el pobre de espíritu puede poseer muchos bienes, pero nunca estará sujeto por ellos, nunca los querrá, y en cambio, una persona pobre puede estar sujeta, angustiada, agarrada por riquezas que codicia...

— ¡Va muy contenta, guapa! ¡Quién pudiera acompañarla!

Este inesperado piropo del cobrador, en el momento en que ella bajaba del autobús, la regocijó.

¿Qué pensaría aquel hombre, de la bienaventuranza? Se imaginaba que, el pobre, se llevaría una sorpresa tremenda si supiera cuáles eran los pensamientos que la hacían sonreír.

"Sin la menor duda, me consideraría idiota."

Se había bajado frente a un gran parque, desde cuya arboleda venía frescura, olor a flores que aún no había agostado el día... Era como entrar un poco en el campo que anhelaba andar por aquellos paseos recién regados.

"...De ellos será el reino de los Cielos."

"Un poco mío — pensó con orgullo humilde —, un poco mío sí que es el reino de los Cielos, ya, aquí, en la tierra."

De los pobres de espíritu es también la riqueza; son los que, apenas la tienen en sus manos, pueden darla a otros, pueden cambiarla, pueden hacer con ella lo que quieren, porque no la aman y no les da pena perderla. Rosa había traído en su bolso bastante dinero que quería gastar. Ya, la noche anterior, había dado a un amigo, el pesado pianista "genial" que los visitaba tan a menudo, y que les obligaba a oír sus conciertos, parte de aquellos billetes recién adquiridos. Fue un gran placer hacerlo, porque el pobre hombre andaba muy mal... Por esto había tenido una ligera discusión con Rafael.

— Hay que ser un poco más prudente, niña; date cuenta de que yo, hasta octubre, no puedo entrar a trabajar en ese sitio que me han prometido...

Rafael sufría un poco con este despilfarro suyo. Quizá, en efecto, era más prudente que ella y, en muchas cosas, más bueno. No había que olvidar que tenía al niño... Pero no era por esto sólo, sino por mil cosas, mil detalles que deseaba y no tenía, por lo que sufría Rafael... Quizá llevaba camino de ser pobre de espíritu algún día, pero por ahora no lo era del todo. Y sufría. Porque el deseo de las cosas de la tierra da sufrimiento y es un pequeño infierno que nada apaga. Se sufre siempre. Porque según se van consiguiendo, otras nuevas se hacen desear, y todas, una vez logradas, decepcionan y parecen miserables... Aquel dinero, por ejemplo. Dos días antes, cuando era sólo una posibilidad, les parecía fabuloso... Ahora resultaba, ya, muy poco...

Rosa recordó la cara de preocupación de su marido la noche antes. Él sufría. Quizá con el piano de cola, que aquella misma mañana se llevarían de la casa, él perdía algo que había estimado mucho. Quizá también, allá en su fondo, ella no era tan libre como aparentaba y también le tenía apego a aquel mueble lujoso. ¿Por qué no había querido entrar en el salón, si no?... Sólo por no verlo.

"¡Pobre Rafael! ¡Pobre amor mío! ¡Quién nos lo iba a decir cuando nos cayó encima ese piano, por la voluntad de la terrible Micaela!..."

Rosa dijo estas cosas en voz alta, ensimismada, con una mezcla de burla y de ternura en su entonación. Burla y ternura que se referían a Rafael y a ella misma. No se daba cuenta de que, en aquel paseo sombreado del parque, estaba sola. Absolutamente sola.

CAPÍTULO V

Rafael se había llevado un disgusto de verdad con aquella disposición del testamento de la tía Micaela, en que les dejaba el hermoso piano de cola como única herencia.

Rosa se había reído hasta saltársele las lágrimas, y apreció más a la difunta señora.

—¡Quién hubiera dicho que mi tía era una bromista!... Nunca lo hubiese pensado.

—¿Bromista? ¿Llamas bromista a dejarte en la calle?

—Yo escogí estar en la calle.

—Pero te has portado con ella, en su última enfermedad, como una hija...

—También ella se portó como una madre conmigo, cuando yo viví en su casa... Hizo todo lo que pudo por mí, a su manera, que no era la que a mí me gustaba... Yo le he correspondido a mi manera, llegada la ocasión. Estábamos casi en paz. No tenía ni por qué haberme dejado el piano...

Era muy difícil hablar con Rafael en aquel momento. Paseaba, excitado, por una habitación pequeña, donde tenían instalado el comedor. Con su alta estatura, con sus cabellos rizados, que se le rebelaban, lo llenaba todo.

— ¡Una bromista!... Una miserable, diría yo...
Cuando nació el niño, ni una ayuda... A pesar de eso,
has ido a cuidarla, te has pasado noches a su lado...
Y luego, ¿qué?... ¡El piano de cola!

Era inútil decirle a Rafael que él había visto con
agrado aquella abnegación de Rosa para con su tía.
También Rafael había ido a visitarla en el curso de su
enfermedad. Y hasta había sido él quien había ofrecido servilmente —sabiendo la manía de la vieja señora— que Rosa tocara el piano para ella de modo que
pudiese oírlo a través de la puerta de comunicación.

La tía Micaela estaba en la cama como en un tro-
no. Incorporada sobre almohadas, que tenían cubiertas
de hilo fino, muy bordado. Con su cofia de encaje sobre
los cabellos blancos, con la cara desencajada por la enfermedad, pero con los ojos brillantes de malicia. Apenas levantó un poco la mano que abandonaba sobre la
colcha.

— No... No... Ya tocará Rosa el piano cuando yo
me muera; para ella ha de ser... ¿Verdad, hija mía?

Rosa, ceñuda, junto a la ventana, no había respon-
dido entonces ni una palabra.

También Rosa, en aquellos días, creyó, por estas
alusiones, que la tía les iba a dejar herederos. Y cuando
Rafael aludía a ello, callaba. No por temor a un chasco
como el que luego se habían llevado, sino por temor,
precisamente, a aquella herencia. Habían sido tan felices desde que se casaron, con aquel pan de cada día,
que ganaban trabajosamente... Felices en la obscuridad,
felices con los amigos íntimos, sinceros, que compar-
tían con ellos la conversación y los apuros económicos.

Felices con el hijo que se turnaban a cuidar, que les
costaba tanto, que por eso era más suyo. Felices con

cualquier modesta alegría, porque cualquier diversión
les era un sacrificio y un sueño antes de realizarla...
¡Y Rafael hablaba, como puede hablar un niño, de
aquellos millones que les iban a caer encima! Hacía
proyectos; maravillosos algunos, en verdad, pero otros
que a Rosa le daban miedo.

Rafael hablaba de largos viajes; pero más que nada
parecía importarle el que en el transcurso de aquellos
viajes Rosa y él pararan en hoteles caros.

— Serás una mujer elegantísima... Serás mi orgullo.

Rosa sabía que en aquellos hoteles ella no sería el
orgullo de Rafael, si él cifraba este orgullo en su elegancia. Rosa sabía que ella no era elegante, ni lo sería
nunca, por mucho dinero que tuviese; entre otras cosas, porque le importaba demasiado poco para pro-
curarlo.

— Tendremos una casa de maravilla... Reforman-
do ésa en que vive tu tía, quedará hecha un verdadero
palacio... Y quiero tener un mayordomo, y un ayuda
de cámara, porque eso viste y da tono... Y...

— Podremos regalarle el piano al pobre Jacinto
— interrumpía Rosa, recordando al pianista amigo.

Rafael se molestaba, silenciosamente.

— No sé qué va a hacer el pobre con él... No tendría nunca dónde meterlo.

— ¿No has pensado nunca que nosotros podremos
hacer que tenga donde meterlo?... ¿No has pensado
que si tenemos dinero, este dinero será también para
nuestros amigos?...

Rafael la miraba entonces con una expresión difícil,
como si se le ensombrecieran aquellos ojos azules, cuya
claridad era para Rosa algo que amaba más que ninguna otra cosa en la tierra.

Al fin, Rafael le sonreía, y su sonrisa provocaba la muy vacilante de ella.

—Eres muy niña, Rosa... Eres sorprendentemente niña para tu edad y para lo que has vivido... Porque no se puede decir que hayas sufrido. ¡Válgame Dios!... Te he visto hacer los trabajos más duros sin quejarte nunca... Barrer, fregar, ir a la oficina, con nieve o achicharrándote... ¿No estás harta de eso?... Ahora te llega tu momento... ¡Y no piensas más que en ese degraciado Jacinto, que nos da la murga con su charla sobre música y sobre tu talento extraordinario!... No piensas que tienes un hijo a quien educar...

— A mi hijo no le hace falta ser millonario.

—Me vas a enfadar, Rosa. No he visto a nadie más irrazonable que tú... Por una vez en la vida me vas a obedecer cuando nos llegue esa herencia... por una vez en la vida te protegeré contra esa estupidez innata que tienes...

Sí; las discusiones más duras, más violentas de su vida de casados fueron las de los días en que esperaban la fabulosa herencia. Las discusiones en que se dicen cosas hirientes, cosas que estropean los recuerdos y el cariño. Parecía que Rafael y ella se odiasen. Y casi lo odiaba Rosa cuando él decía...

—Rosa, trataremos con todo lo mejor...

—¿Con "todo lo mejor"?... Y ¿qué entiendes tú por todo lo mejor?... ¡Que yo tenga que oír esas imbecilidades de tu boca, Rafael...! ¡Que seas tú quien sólo al pensamiento de tener dinero ya haces traición a los amigos con quienes te ves todos los días, a los que acudes en tu necesidad!

—Y que acuden a mí...

—Y que acuden a ti, claro está... A los amigos que

soportan las lecturas de tus obras porque son tuyas...

—Me estás llamando imbécil.

— Sí, imbécil y desagradecido. Eso te estoy llamando.

Una de aquellas noches en que discutían, Rafael cogió la puerta de la calle y no volvió hasta el amanecer... Rosa lloró amargada y rendida. Jamás le había sucedido cosa semejante. Los dos se volvieron a ver, avergonzados y heridos uno por el otro. Se pidieron perdón y estuvieron varios días tristes, sin querer hablar de sus pensamientos. Huyéndose. Parecía que una gran tragedia gravitara sobre la casa, y era sólo la posibilidad de una herencia grande.

Rosa perdió su sueño tranquilo, al lado del inquieto y pesado de Rafael. Ella sabía que era injusta al acusar como lo hacía a su marido. Sabía que él, con la riqueza, no dejaría a un lado a los amigos queridos de los malos tiempos. Sabía que Rafael era generoso y bueno... Sabía todo esto, pero sabía también que sólo el pensamiento de ser rico le volvía peor de lo que era. Sabía que era muy difícil que sus vidas transcurriesen en aquella divina paz, divina alegría y generosidad que les daba la pobreza. Lo sabía o lo temía. Por eso no podía dormir.

— Ya puede agradecer tu tía lo que haces por ella; te estás quedando en los huesos con ese ir y venir a su casa...

Ésta era la protesta de Rafael delante de sus ojeras y su palidez. Pero ella sabía que si no le decía "No vayas tanto" era sólo porque, secretamente, esperaba...

Y esta espera le llenaba de angustia.

Por eso fue como una respuesta a estas tensiones, a estas inquietudes, aquella risa que le entró al ente-

rarse de la broma de doña Micaela. Aquella risa que
enfadaba a Rafael, y que ella no podía contener, allí,
en el estrecho comedorcito de su casa.

Rafael acabó yéndose a su despachillo, cerrando con
violencia la puerta de comunicación, y ella se quedó
quieta, junto a la cuna del niño, que entonces era muy
pequeño, secándose las lágrimas de aquella risa incontenible.

Luego había suspirado, ésta era la verdad. A pesar
de todos sus temores, también ella había hecho proyectos luminosos con aquel dinero que se le escapaba de
las manos. Pero le consolaba pensar que no había cuidado a la vieja señora por ningún interés que no fuese
el de corresponder a su hospitalidad de años.

Cuando pensaba estas cosas, junto a la ventana, al
lado de Pablito dormido, se volvió a abrir la puerta de
comunicación y apareció, de nuevo, la rubia y rizosa
cabeza de Rafael.

—Además, no tenemos sitio en esta casa para ese
armatoste... ¡Si no sabe uno qué hacer con él!... Lo
venderemos inmediatamente por lo que nos den...

—Se lo podemos regalar a Jacinto, el pianista...
Ya encontraría él la manera de agrandar su casa para
recibirlo... Incluso, si quieres, nos lo podría ir pagando
a plazos... Para él sería como un regalo y para nosotros una pequeña renta...

Rafael se calmó.

—No... ¿Sabes lo que estoy pensando?... Que la
casa quedaría desconocida si tirásemos el tabique entre
este comedor y mi despacho. Podíamos vender estos
muebles, que son tan feos, y como la obra es barata,
con eso habría para pagarla... Yo no necesito despacho.
Con una mesa habría bastante para comer y para es-

cribir yo... Quedaría una habitación bonita de verdad, con dos ventanales, uno a la calle y otro a la terraza... Y sólo con poner el piano en ella ya tendría un empaque..., ¿eh? ¿Qué te parece?

A Rosa le parecía bien. Le parecía maravilloso. Miró a Rafael, y fue como si después de mucho tiempo volviese a recuperarlo... Hicieron proyectos, juntos, para el arreglo de aquella habitación, y días más tarde los realizaron.

La habitación quedó bonita. Fue bautizada pomposamente con el nombre de salón. Un pintor amigo regaló cuadros para las paredes. El pianista dio un concierto para inaugurar la entrada del gran piano. Y quedó acordado que todas las semanas se daría allí el concierto de Jacinto. Todas las semanas se celebraron reuniones alrededor de la música. Y el salón era un sitio amplio, agradable y bello también, gracias, en gran parte, al piano... Sí; el piano, que había sido tan mal recibido, llegó a hacerse algo así como un símbolo en la casa.

Cuando Rosa volvía de la oficina, le gustaba tocarlo, ante la admiración de su hijo y el agrado de Rafael. Era curioso: le parecía que lo hacía mejor, con más sentido que antes; disfrutaba... También cuidaba más de su casa. Le parecía una cosa más de verdad desde que tenía aquella bonita habitación, con el lujoso mueble en ella. Algunas veces, hasta hizo el sacrificio de privarse de cigarrillos para poder poner flores en el salón. Le daba gusto verlo desde la puerta, disfrutarlo, con Rafael. Sabía que a él también le gustaba.

En aquellos años la vida había sido muy feliz. No podía quejarse. Se sentía colmada.

Sufrieron vaivenes, dificultades económicas, al parecer insuperables. Hubo alguna vez que, sin decirse nada, miraron hacia la puerta del salón donde se guardaba lo único valioso que poseían en el mundo... Pero todo se fue arreglando; y jamás, jamás, hasta un mes antes de este día en que Rosa se permitía el lujo de vagabundear por un parque público a las horas de oficina... Jamás hasta entonces se les ocurrió la idea de hablar en serio de la venta del piano.

CAPÍTULO VI

A L llegar allí, Rosa no quiere pensar más.

Tiene derecho a no pensar, le parece, en esta mañana de oro. El cielo, por encima de los árboles, presenta un velillo gris de calor que da sed.

Es una mujercita delgada, vestida con un traje de hilo verde, que ya tiene tres veranos, la que sale del parque y empieza a caminar por las aceras, llenas de gentes sudorosas, de la gran ciudad.

Cuando anda, Rosa parece que lleva un ritmo íntimo y fresco en el gran calor del día.

Unos obreros levantan los adoquines de la calle, y ella los mira, envueltos en polvo, quemados por el sol. Mira el trabajo de sus brazos y sus caras oscuras, sin darse cuenta de que también a ella el sol la quema, que las puntas rizosas de sus cabellos castaños llamean rojizas.

Se va. Cruza una calle. El aliento frío de los portales le encanta al pasar junto a ellos.

En medio de un cruce, un guardia urbano, uniformado, solemne, aguanta, impertérrito, el fuego solar; a su lado, una sombrillita de nada es como una mariposilla que quisiera darle alivio sin poder hacerlo. Y también esta visión entretiene a la mujer vagabunda y y parece que le da fuerza.

A poco, la alegría, la misma alegría inconsciente que le hacía bajar como una loca las escaleras de su casa aquella mañana, vuelve a apoderarse de ella y la llena toda. Tiene sed, y bebe un refresco en un puesto callejero, y siente como si una nieve derretida y gozosa le aliviara la sangre.

Empieza a fijarse en los escaparates de los comercios y una locura dichosa la llena toda; comienza a hacer compras. Hace que anoten la dirección para los envíos. Compra atuendos de verano para Rafael y Pablito; juguetes. Luego, libros. Hacía mucho tiempo que no podía comprar libros. Delante de las estanterías cargadas de tomos pasa mucho rato.

El olor le recuerda al de sus tiempos juveniles, a principios de curso, cuando los textos aún sin abrir parecían prometerle mundos maravillosos de interés, de trabajo dichoso. No sabe Rosa por qué después de aquellos primeros arrebatos de entusiasmo no fue ella capaz de amar a los libros como debía. No sabe por qué desperdició tantas horas que debía dedicar al trabajo en paseos sin rumbo fijo, como el de esta mañana; por qué la vida la llamaba tan poderosamente siempre. Por qué en primavera, cuando son amargas y excitantes las velas de los estudiantes, a ella le distraía el olor a hierba nueva, que venía por sobre toda la gasolina y el asfalto de la ciudad a cosquillear, deliciosamente, su nariz... Pasó noches en blanco, ésta es la verdad, frente a una mesa donde se abría un libro y un terrible programa que habría que contestar al día siguiente. Pero en estas noches mismas, cuántos ratos gastados en la ventana, donde el cielo se volcaba, suave y luminoso, como un jardín de luces. A cada momento le parecía ver nacer una estrella nueva. A cada instante, muchas morían, cayéndose a los espacios en una vertiginosa, instantánea caída de luz.

Cuando empezaba a amanecer, en aquellas noches, Rosa envidiaba a los primeros trabajadores, a los que conducen los primeros carros misteriosos en el alba. A los que vienen o van hacia las anchas carreteras entre los campos... Aterrada, se volvía, de pronto, hacia los libros, y así, muchas veces se durmió sobre ellos a la hora del amanecer.

Ahora, comprar un libro es un lujo tan grande que le tiemblan las manos. No quiere que se los envíen, quiere llevarlos ella misma, en seguida, ver la cara de Rafael al desempaquetarlos. Tiene derecho a este goce, porque últimamente ha sufrido tanto que es ahora, cuando ha pasado todo, cuando se da cuenta de lo que ha sufrido. Ahora, cuando nota que las rodillas le tiemblan a veces con una debilidad extraña; ahora, al mirarse al espejo, descubre unas arruguillas que estos meses le han ido trazando, en la frente y junto a la boca, como un deseo cruel de que no los pueda olvidar jamás.

Rosa, sin embargo, quiere olvidarlos, puesto que están pasados y fueron tan duros; pero mientras compra los libros, aquellos meses le vienen a la imaginación, aunque no enteros, ya que ella los ahuyenta; vienen en imágenes rápidas... Sólo cuando Rosa asimila estas imágenes de tal manera que, al pensarlas, le sirven de alegría mayor, para darse cuenta de que la misma criatura hundida que aparece en ellas es esta Rosa de los ojos brillantes que pregunta al vendedor por las últimas novedades, sólo cuando al pensarlas siente una dicha de resucitada, las imágenes desaparecen.

Después de todo, ¿ha habido tanto sufrimiento? ¿Es real el sufrimiento que ya ha pasado?

Si Rosa quisiera explicar lo que han sido estos meses pasados sólo diría: "Hemos tenido enfermedades graves en casa..."

En realidad, ya lo ha dicho alguna vez; lo ha dicho en la oficina, por ejemplo, y se han quedado mirándola con cierto rencor.

—Hija, por poco te apuras tú; bien está lo que bien acaba... O ¿es que te creías que vosotros no podíais enfermar nunca?

Sin embargo, aquella Rosa que se inclinaba sobre la camita de su niño a principios de año no se parece a la de esta mañana. Aquélla tenía las espaldas encorvadas de cansancio y ojeras grandes, terrosas, bajo los ojos sin brillo.

—Lo que tiene ese niño es mimo.

Esto había dictaminado la criada Luisa, recién ingresada en la casa. Recién venida de un pueblo, que le había dejado en las mejillas todo el buen color que dan los aires campesinos. Luisa desaprobaba terminantemente la educación de Pablito.

Lo que tenía el niño era muy grave. Tan grave, que Rafael y ella, con los ojos llenos de espanto, se negaban a admitirlo. Les parecía imposible que aquel niño, derecho como una palma y alegre, y, sobre todo, de ellos, de su sangre joven, tuviese meningitis. Aquélla era una sentencia de muerte que les ennegrecía el corazón y los volvía locos de angustia.

Era una lucha con la muerte, y era la desesperación de buscar dinero, de pedir adelantos y préstamos para aquella lucha.

Un día de nieve, salió Rosa de su casa, corriendo. No había nadie para verla en la calle silenciosa, donde el hielo y el fango se revolvían bajo sus pies; pero quien la hubiese tropezado hubiera creído encontrar una aparición o una demente. Iba sin abrigo, con la misma chaquetilla que tenía en su casa, sin sentir el frío, sin fijarse en nada. Al menos, entonces, ella tenía una sensación de pesadilla y de ceguera, pero más tarde recordó, con asombro, el color plomizo de la tarde, y cómo le deslumbró la nieve de un tejadillo, a la que alcanzaba un perdido rayo de sol poniente y que se convertía en un incendio.

Llevaba el nombre de una calle cercana a su casa y el número de un edificio prendido en la memoria. Se los repetía obsesivamente. Era una casa casi tan modesta como la suya. Golpeó la puerta de aquel piso que buscaba... Al pronto no respondió nadie. Por primera vez desde que emprendió su carrera loca, Rosa sintió desfallecerle el corazón. No había ni soñado que los habitantes de aquel piso pudieran estar fuera. Golpeó otra vez, y otra. En aquella especie de demencia en que estaba metida, estaba dispuesta a golpear hasta que le saltase la sangre de los nudillos.

—¿Está loca? ¿Qué quiere?

La puerta se le había abierto de repente y otra mujer estaba delante de ella. Una mujer vestida de negro, en la sombra.

—Se me está muriendo mi niño...

Rosa dijo esto con suavidad, ya rendida.

La mujer de la sombra se echó a llorar.

—Y ¡a mí!... ¿A mí viene a decírmelo...?

Las dos estaban rendidas. Las dos en la puerta. Rosa sabía que a aquella mujer se le había muerto un niño, pocos días antes, de la misma enfermedad que tenía el suyo. Lo sabía por el mismo médico. Y sabía que le había quedado intacta una cantidad de estreptomicina que bastaba para intentar un tratamiento a Pablito. En aquellos tiempos esta medicina no sólo era costosa, sino difícil de encontrar.

—No tenemos dinero ahora, pero es cuestión de intentarlo en seguida, ¿sabe? Ya la pagaremos. Le juro...

La mujer bajó la cabeza.

—Pase.

Así fue todo; tan sencillo. Estar unos minutos en una salita triste, bajo la luz de una bombilla amarillenta y pobre, y ver venir otra vez a la mujer de ojos enrojecidos, que, de pronto, se echó en sus brazos, llorando.

—No se trata de pagar... No me tiene que pagar nada, por Dios; llévesela en seguida... Pero le digo, pobrecilla, que es inútil... Todo es inútil, no se haga la ilusión de que se le va a curar, porque no curan; se le mueren a una sin remedio..., haga caso a quien lo sabe.

Rosa lloraba también, aterrada. Pero un egoísmo duro, ardiente, le hacía rechazar los brazos de aquella mujer. Casi le pegaba en el afán de irse junto a su niño. La otra lo entendió en seguida y la empujó, con suavidad, a la puerta.

—No venga más, ¿me oye? No quiero que me pague... Si se cura su hijo, ni quiero saberlo, y si se muere, tampoco.

Rosa comprendía. No sabía qué decir ni cómo irse corriendo, como deseaba. Empezaba a bajar la escalera y sentía aún la presencia de la otra madre en la puerta. De pronto oyó su voz:

—Oiga..., ¿qué edad tiene el niño?

Rosa había alzado la cabeza. Contestó ahogadamente:

— Cinco años.

La mujer suspiró. Rosa no se atrevía a continuar bajando los escalones.

— El mío, siete... Dos años más que usted lo he disfrutado...

Rosa, angustiada, quedó unos minutos, parecidos a una pesadilla, queriendo atisbar las sombras de la escalera. No veía ya a aquella mujer vestida de negro entre la oscuridad. De pronto oyó la puerta de su piso, cerrándose.

Sin embargo, el niño curó. Allí estaba ahora en casa, ilusionado, con sus vacaciones campesinas. Allí estaba.

De aquella enfermedad salieron todos con caras espectrales. No sólo el niño, sino también sus padres. Solamente Luisa conservaba su voz fuerte, sus ojos duros, sus colores.

Mientras la enfermedad duró, las energías de ellos para buscar dinero fueron inagotables. Ahora estaban rendidos, llenos de deudas. Ahora miraban alguna que otra vez hacia la puerta del salón. Rosa, con mucho trabajo, le dijo a Luisa que en algún tiempo no podrían pagarle; que, naturalmente, podía irse, si lo deseaba.

Entonces la mujer se plantó en jarras, despreciativa.

— Oiga usted, ¿por quién me tomó? ¿Es que cree que yo no tengo caridad, o qué?... Eso no lo hace la hija de mi madre por nada del mundo...

Rosa, desconcertada por la actitud feroz, creyó que Luisa se negaba a marchar sin que le hubiesen satisfecho hasta el último céntimo de su deuda. Pero resultaba que lo que no quería era abandonarlos. Desde entonces tuvieron que tolerar sus familiaridades. Pero las toleraban con gusto. La querían. Algunos días llegó a mezclarse en las veladas de ellos, en el salón. No se sentaba. Se quedaba de pie, contando historias de su pueblo y de casas donde había servido...

—Pues, sí, señora; cuando yo vivía con mis hermanas, las cuatro buenas mozas, aunque esté mal decirlo, tuvimos una pretensión para casarnos, que no la logramos, saben ustedes, porque el pretendiente..., vamos, no era cabal...

A Rafael, a veces, le hacían gracia estos cuentos, y animaba a Luisa:

—Y ¿cómo era eso, mujer? ¿Un pretendiente para las cuatro?

—Y usted, ¿qué se imagina, señorito?... Todo se iba a hacer con decencia. Nosotras tenemos una poca de tierra que nosotras mismas cultivamos, y unas ovejas y unos guarros, y pare usted de contar. Y allí un hombre no está de sobra, pero como somos así, tan cortas, y no íbamos a ningún lado...; al menos, mis hermanas, que yo, siempre, por temporadas, anduve sirviendo... Pues mire, solteras, y a mucha honra, todas, porque a honradas y decentes, nadie nos gana...

—¿Y el pretendiente...?

—Pues mire, el hombre andaba huido y le dimos trabajo... Y nos empezamos a dar cuenta que el hombre servía y que era bueno tenerlo en casa, y era bueno asegurarlo y no tener que darle jornal. Así que un día lo llamamos y le dijimos que lo apreciábamos y que escogiera, y que lo pensara, que todas estaríamos gustosas de que la boda fuera con la que él quisiera, y que nosotras no lo tomábamos a mal ninguna... Y si ustedes lo hubieran visto; el hombre parecía que no acababa de creerlo, y allí estaba, con los ojos bajos, delante de mi hermana Timotea, que es la mayor y la más buena

moza de las cuatro, que llega a pesar bien sus cien ki-
los... Tanto, que nosotras creíamos que sería a ella la
que escogiera, porque mejor proposición no se le podía
presentar en la vida al mocito aquél, que, como digo,
no será cosa de mucho, pero algunos cuartillos sí tenemos, gracias a Dios, y el hombre era un desgraciado
que andaba huido, y se le recordamos muy bien, que
mi hermana Timotea no tiene pelos en la lengua para
recordar estas cosas... Claro que, honrado y trabajador
era, que si no, no le hubiésemos hecho la propuesta...

— Bueno, y ¿qué pasó?... ¿Eligió a alguna?...

— ¡Qué más hubiera querido el desgraciado!... Ya
le dije que no era hombre cabal; vamos, que resultó ser
de esos hombres que no sirven; no sé si me enten-
derán...

— Sí, sí, entendemos. Y ¿cómo lo averiguaron?

— Anda... Pues no fue nada difícil... Resultó que
después de oírnos, que dijo muy manso que iba a pensarlo bien, porque nunca hubiera supuesto que nosotras
miráramos para él con tan buenos ojos. Y se fue a
dormir, que era de noche. Y nosotras también nos
acostamos, muy tranquilas, la que más y la que menos
pensando que era hombre macho, como por las vistas
parecía... Y al día siguiente, venga llamar a Juan, que
se llamaba Juan, y que no apareció por ningún lado...
Total, que el muy gallina se escapó con lo puesto, que
ni nos reclamó el jornal, de vergüenza que tenía...
Y que no dimos más con él, y de esto hace tres años
justos y cabales...

Sí; a Rafael le hacían gracia estas cosas de Luisa algunos días, y se reía mucho. Pero otras veces, Rosa sabía que él no podía ni soportar el olor a cocina que les
venía impregnado en el delantal de la mujer, y enton-

ces ella se levantaba y se iba a la cocina con la criada.

Cuando estaban en la cama, único lugar adonde no los perseguía la familiaridad de la muchacha, Rafael se quejaba agriamente a Rosa. Le acusaba de no saber imponer su autoridad con el servicio; de que, de seguir así las cosas, en aquella casa no se iba a poder vivir ya, y de que Rosa tenía que hablarle claro.

— Pero ¿cómo voy a tener autoridad con una persona a la que debemos tres meses de sueldo y que no sé cómo se los vamos a pagar...?

— Eso no importa; ya se lo daremos... Y ese día se va de aquí esa tarasca; ¡ya no la puedo ni ver!...

La irritabilidad de Rafael se hizo tremenda. Rosa lo veía sufrir incomprensiblemente, desmejorarse, tratarla con continua aspereza. Estaba asustada. Un día, tímidamente, le propuso tratar de vender el piano.

— Así no tendrás tantas preocupaciones...

— ¿Estás loca?

Esta contestación de Rafael vino tan cargada de rabia, que Rosa no se atrevió a insistir. Por primera vez en la vida no sabía descifrar los pensamientos y el carácter de su marido... Y es que Rafael era un hombre tan alto y fuerte, daba una impresión de salud tan perfecta, que Rosa podía sospecharlo todo menos que estuviese al borde de una grave enfermedad. Y cuando ésta estalló de pronto, aparatosa, tremenda, Rosa sintió remordimientos amargos por no haberlo comprendido mejor.

Entonces fue cuando Rosa supo que su pequeño y delgado cuerpo era de hierro, que resistía noches en vela y días de trabajo, y supo también que aquella mujer, Luisa, era una especie de tesoro enviado por la Providencia, con toda su rudeza, con todo su mal genio... Rosa sabía que no se separaría nunca de aquella mujer, si esto era posible...

La convalecencia de Rafael fue penosísima, con aquel panorama de desolación económica, negro y sin esperanza, alrededor de ellos.

— ¿Qué importa vender el piano, Rafael? Más bien nos estorba que otra cosa.

Jacinto, el pianista, fue encargado de buscar comprador, y se había vendido, al fin, muy bien. Porque el instrumento era lujoso y bueno.

Recibir el dinero fue una bendición. Parecía que en en la casa hubiera entrado de nuevo la sonrisa. Se pudieron hacer proyectos realizables, proyectos de aquellas modestas vacaciones, que parecían fabulosas... Y ahora, Rosa estaba comprando juguetes, vestidos, libros, olvidada ya de todas las negruras. Sonriente otra vez, aunque tuviera marcada la sonrisa por aquellas arruguillas, casi invisibles, junto a los labios, cerca de los ojos.

CAPÍTULO VII

Lo que no sabía era el porqué de este desfallecimiento al subir las escaleras de su casa; el porqué de esta extraña sensación en el estómago, parecida a otras ya experimentadas en tiempos de exámenes o cuando necesitaba ir al dentista, que le acometió delante de la puerta del piso.

Llamó. Allí estaban la cara seria, los ojos escrutadores de Luisa.

—Suerte tuvo de venir tan tarde... Ahora mismito se acaban de llevar el piano... No se me quede parada en la puerta... ¿O es que no lo sabía?... ¡Ay, Dios!... Cuando las cosas empiezan así... Nosotros, a Dios gracias, nunca tuvimos que vender lo nuestro...

Rosa se repuso.

—No diga tonterías, mujer... Mire, cójame los paquetes; mire, aquí viene algo para usted... ¿No me dijo que lo que más deseaba era unos guantes?...

Luisa quedó como aplacada, y Rosa sintió placer ante el enrojecimiento de aquella cara y el brillo de aquellos ojos.

—Le servirán para el invierno, porque ahora, digo yo, que no querrá usted ponérselos..

—Nunca pensé ponérmelos... ¿Qué se ha pensado? Yo sé apreciar muy bien las cosas buenas... Unos guantes como éstos lo mismo en invierno que en verano visten más llevándolos en la mano, que apretándose con ellos los dedos... Aunque una no haya salido nunca del pueblo, también entiende de elegancias, no se crea... ¡Pablito! ¡Ven a saludar a tu madre!

La puerta del fondo del pasillo, la puerta del salón, se abrió al empuje del niño...

—¿Paquetes? ¿Qué me traes? Nos vamos al campo ya, ¿verdad?... Ya se han llevado el piano... Ahora ¿se llevarán todo? ¿Es que se lo llevan al campo?...

—Dame un beso...

Desde la cocina —tan cercana que impregnaba el pasillito oscuro con el aroma de los guisos— vino la voz de Luisa.

—Menos mimos... Que éste se ha portado muy mal hoy...

Rosa, sin embargo, lo besó largamente. Hasta que le llegó desde el salón la voz de Rafael llamándola, y entonces se soltó de aquellos brazos agarrados a su cuello. Recogió el paquete de libros y advirtió, suavemente, al niño:

—No vengas...

Rafael estaba en el salón.

—Recojo las cuartillas —dijo, con una voz alegre—, para que esa buena bruja doméstica pueda poner la mesa... He trabajado bastante... Luego te leeré. En este mes del campo te aseguro que termino el libro... Y no es por orgullo, ni por nada, pero yo creo que está bien, muy bien... Yo creo, Rosa, que me vas a tener que felicitar, y que va a ser un éxito.

Rosa también cree estas palabras animadoras. Rosa

creyó siempre en el talento de Rafael... Pero no le alegra nada esta charla, en este momento. Casi no la escucha. Tiene los ojos fijos en sus paquetes, como si tampoco se atreviera a mirar alrededor.

— ¡Ah! Paquetes y todo... ¿A ver? Poesía... ¿A ver? Novela... Ensayo... Hija, todos los géneros literarios.

Rafael, olvidado de su propósito de despejar la mesa, extendió los libros sobre ella. Entonces, Rosa, que no podía levantar la cabeza como si la tuviera sujeta por un invisible y doloroso tornillo, vio las morenas, largas manos de su marido, moviéndose, acariciando sus regalos. Luego, los ojos empezaron a dolerle, y aquellas manos queridas empezaron a perder, al mismo tiempo, sus preciosos contornos, su cálida vida, su fortaleza, la llamada que siempre proferían para Rosa.

Al mismo tiempo, también, empezaban a dolerle los oídos, como si estuviera atacada de un extraño mal. No le llegaba la voz de Rafael, aquella voz que venía envuelta en el más cariñoso acento, en el acento entusiasmado y jovial de los mejores momentos de ellos.

De pronto sintió que, fuerte y suavemente, Rafael la cogía por la barbilla, obligándole a levantar la cara hacía él.

— Por Dios, Rosa... ¡Niña! ¿Estás llorando?

Estaba llorando. Esto era lo que la oprimía, lo que le dolía en todo el cuerpo, en todos los sentidos, las duras e implacables agujas de aquel llanto.

Rafael veía caer despacio las lágrimas, desde los grandes y bonitos ojos de ella, por las escurridas mejillas hasta la boca.

El llanto afeaba aquella carita de nada. Hacía resaltar las pecas de la clara piel; enrojecía la naricilla imperfecta, algo torcida; envejecía la ancha boca. La boca de Rosa, que estaba acostumbrada al gesto amable de la sonrisa.

Pero Rafael la miraba conmovido, como si en vez de fealdad, aquella crispación dotara al rostro de ella de una extraña luz.

—Nunca te he visto llorar así, sin motivo, cariño mío... Di, ¿qué te pasa?... ¿Has tenido algún disgusto en la oficina? Anda, dímelo.

Entonces Rosa se echó sobre el pecho del hombre y lloró más, inconteniblemente.

Entre sollozos le fue diciendo que ella era muy cobarde, ahora se daba cuenta. Que siempre le había creído a él más débil, y ahora se daba cuenta de que no...

—No he ido a la oficina, no he hecho nada. He gastado dinero como una loca... He estado huyendo de mí misma sin darme cuenta. He estado retrasando, retrasando esta llegada... Y al fin, ahora mismo, he alcanzado a ver cómo se llevaban el piano... Entonces comprendí ¿sabes?, que era de eso de lo que he estado huyendo toda la mañana. De verlo sacar de casa.

Rafael le secaba los ojos. A veces, la estrechaba un poco. Pero, por fortuna, no estaba contagiado de su emoción. Más bien se reía tiernamente.

—¡Quién iba a pensar que tú quisieses tanto a ese armatoste! A veces se lleva uno sorpresas tremendas. Creía que te sentías feliz esta mañana...

—Y lo estaba... Soy ridícula... Pero ¿no entiendes? Alrededor de él, nuestra vida parecía haberse asentado... No sé; hemos pasado tantos ratos nuestros, con la música... No me explico, pero la vida empezó a adquirir una especie de solidez...

—Bueno; pues mira: ahora tendrás más aún. ¿Qué

importa el piano ni nada de lo que podamos tener? Importamos nosotros y nuestra alegría y lo que podamos hacer nosotros. Lo que yo pueda escribir, lo que tú me puedas querer. Comparado con eso, no hay nada, pero nada...

Los ojos de Rosa estaban secos. No sentía ya aquella curiosa opresión que — ahora se daba cuenta — la venía persiguiendo en toda su alegría de la mañana. Se encontraba completamente ajena a la que un segundo antes lloraba. La encontraba (a esa mujer llorona) tonta y sentimental. Sonrió al fin.

— ¡Quién me iba a decir a mí que tú tuvieses algún día que decirme esas palabras!...

Rafael se reía también.

— Hace seis años que vivo con una mujer divinamente loca. Y la locura acaba por pegarse...

Entonces Rosa se atrevió a mirar al salón vacío. Y no lo encontró desolado, sino alegre y lleno de luz. Y volvió a pensar, como siempre, que tenía en su vida de la tierra un poco del reino de los Cielos.

ÍNDICE